テクノ・リバタリアン

世界を変える唯一の思想

橘 玲

文春新書

1446

はじめに　世界を数学的に把握する者たち

乗っていた飛行機が乱気流に巻き込まれ、思わず叫び声をあげたことはないだろうか。

このとき、隣に座っていた乗客が、「ちょっと計算してみたんですが、この飛行機が墜落する確率は０・００１％以下で、無視してかまいませんよ」といったら、あなたは「世界を支配する秘密結社」のメンバーの一人にたまたま出会ったことになる。

秘密結社といっても、フリーメーソンやイルミナティ、ディープステイトのことではない。こんなとき、次の頁の数式を頭に浮かべている者たちのことだ。

これはベイズの定理で、ある状況が変化したとき、確率がどのように更新されるかを表わしている。

Pは確率（Probability）の頭文字で、$P(M|D)$は「飛行機がひどく揺れていると仮定した場合の墜落の確率」。それを計算するには「なにも起きていない段階で、飛行機が墜

$$P(M \mid D) = \frac{P(D \mid M)P(M)}{P(D \mid M)P(M) + P(D \mid M^c)P(M^c)}$$

落する統計的確率（1000万分の1）」「墜落する前にひどい揺れが起きる確率（これは間違いないので確率1＝100％）」「無事に着陸できるのにひどく揺れる確率（このような統計はすぐに手に入らないので、主観的に100分の1とする）」があればいい。これをベイズの数式にあてはめると、この飛行機が墜落する確率が10万分の1で、無事に着陸できる確率が99・999％であることがわかる。[1]

ベイズの定理がいっていることは、直観的にも説明できる。「統計的にものすごく低い確率でしか起こらないこと（飛行機の墜落）に、なんらかの要因（乱気流）が加わって確率がすこし上がったとしても、ヒドいこと（墜落）はやっぱりものすごく低い確率でしか起こらない」のだ。

ここまでは凡人でも理解できるだろうが、世の中にはこのようなとき、ごく自然にベイズの数式を呼び出し、それに数字をあてはめて計算し、どのように判断・行動するかを決めるひとがいる。それが「世界を数学的に把握する者たち」であり、本書の主人公である「テクノ・リバタリアン」だ。

リバタリアンは「自由原理主義者」のことで、道徳的・政治的価値のなかで自由をもっとも重要だと考える。そのなかできわめて高い論理・数学的知能をもつのがテクノ・リバタリアンで、現代におけるその代表がイーロン・マスクとピーター・ティールだ。数学者のデイヴィッド・サンプターは、「成功、幸福、富などを与えてくれる10の数式（ベイズの定理もこのなかに含まれる）」を知る者たちを「ＴＥＮ」と呼び、その暗号を解き秘密の数式を自在に操ることで世界を支配しているという。[2]

その集団、いうなれば秘密結社は、実は何世紀も前から存在する。その秘密結社のメンバーたちは、代々自分たちの知識を後世に伝えてきた。そんな彼らは行政、金融、学界、そして最近ではテクノロジー企業の世界で実権を握り、一般人に紛れて過ごしつつ

1　ベイズの定理のうち、分子の$P(M)$はなにも起きていないときに墜落する統計的確率、$P(D|M)$は飛行機がこれから墜落すると仮定した場合にひどく揺れる確率で、両者を掛け合わせることで2つの事象が両方とも成り立つ確率が求められる。分母はこれに補集合を加えたもので、起こりうるすべてのケースの和を表わす。$P(M^c)$は飛行機が墜落しない統計的確率、$P(D|M^c)$は墜落しないのにひどく揺れる確率。

2　デイヴィッド・サンプター『世界を支配する人々だけが知っている10の方程式　成功と権力を手にするための数学講座』千葉敏生訳、光文社

も、私たちにこっそりと力強い助言を送り、時には私たちを陰で操ってさえいる。一般の人々が心から手に入れたいと望む秘密を見つけ出し、裕福で、満ち足りた、自信満々な人生を送っている。

TENはデータを数学的にモデル化し、パターンを見つけてシグナル（必要な情報）とノイズ（不要なゴミ）を見分ける特殊な能力をもっている。だがこれは、世界の真実を知っているということではない。重要なのは、平均よりも精度の高い（現実をうまく説明する）モデルをもっていることだ。

カジノがビッグビジネスになるのは、自分たちが51％の確率で勝ち、客が49％の確率でしか勝てないビジネスモデルを構築したからだ。これなら、巨大な施設をつくって巨額の宣伝費を投じ、多くのギャンブラーを集めることで確実に儲けられる（実際には、カジノの客の勝率はもっと低いだろう）。

それに対して、ラスベガスとウォール街を攻略した数学者で「最強のハッカー」でもあるエドワード・ソープは、カジノの人気ゲームであるブラックジャックのバグを発見し、「カードカウンティング」によって51％以上の確率で勝てることを数学的に証明した（しかもそれを論文として公開した)。[3] その後、マサチューセッツ工科大学（MIT）の学生たちがブラックジャックチーム「秘密結社」をつくり、カードカウンティングによって全米のカジノを荒らしまわり、巨額の富を手にすることになる。[4]

TENの特殊な能力が成功に結びつくのは、わたしたちが生きているのが「知識社会」で、高い知能をもつ者に大きなアドバンテージが与えられるからだ。しかも、世界がよりゆたかに、より平和になるにしたがって、彼ら／彼女たちのパワーはますます強まっている。

戦争や内乱では武力が、貧しい社会では身分のような既得権が生き残るために必須だが、世界がゆたかで平和になればこれらは無用の長物になり、人種や国籍、出自、性別、性的指向などとは関係なく、一人ひとりの能力だけが公正に評価されるようになる。リベラルな社会の根幹をなすこの原理がメリトクラシーだ。

伝統的なムラ社会のしがらみが色濃く残る日本に比べて、「人工国家」であるアメリカ

3　エドワード・O・ソープ『天才数学者、ラスベガスとウォール街を制す　偶然を支配した男のギャンブルと投資の戦略』望月衛訳、ダイヤモンド社
4　ベン・メズリック『ラス・ヴェガスをブッつぶせ！』真崎義博訳、アスペクト

は純化した知識社会で、その可能性に魅せられて世界じゅうからTENが引き寄せられてくる。こうして、シリコンバレーという唯一無二の特別な場所が生まれた。

日本では残念なことに、いまだに「思想」というと孔子や仏陀やプラトン、カントやマルクス、あるいは1980年代に流行したポストモダンのフランス思想のことだと思われているが、科学とテクノロジーの水準が指数関数的（エクスポネンシャル）に高度化したことで、これらはすべて過去の遺物になった（進化論を無視して人間や社会を語ることになんの意味があるのか）。

その結果、いまや世界を変える思想はリバタリアニズムだけになっている。このように言い切れるのは、Google、Amazon、Meta（Facebook）などプラットフォーマーの創業者、チャットGPTなどのAI（人工知能）や、ビットコインなどで使われるブロックチェーンの開発者がみなテクノ・リバタリアンだからだ。

そんな特殊能力をもつ「ミュータント」たちは、わたしたちをどのような世界に導いていくのか？　本書ではこの問いを考えてみたい。

なぜなら、未来について語るのに、これ以外に真剣に考えるべきことなど存在しないからだ。

◎目次

テクノ・リバタリアン　世界を変える唯一の思想

PART2

PART3

たな自由の領域／世界を恐れる者／ヴィクトリア時代の天才／「リベラル」が推進した優生学運動／〝善意〟をどこまで信じられるか

PART4 ネクストジェネレーション

イーサリアムをつくった神童／ミニマリストの大富豪／AI開発を牽引する理想主義者／世界の終末に備える「プレッパー」／加速主義vs.破滅主義／ハッカーに奪われた360万イーサ／歴史を巻き戻す／胴元のいない〝民主的〟なカジノ／不確実な報酬と依存症／説得するコンピュータ／ベーシックインカムの決定的な弱点／人間であることの証明／ソーシャルグラフによる本人認証／テクノ・リバタリアンがUBIを支持する不都合な理由／ブロックチェーンがつくる都市／私有財産を否定するリバタリアン／市場を再設計する／共同所有自己申告税COST／バンクシーの作品に毎年2億円支払うか／1億円の高級マンションが3000万円台に／「平方根投票」によるデモクラシー／QVならトランプもヒトラーも選ばれなかった／金銭で票を買うのは公正か／自分とのたたかい

おもな登場人物

【First Generation 第一世代】

イーロン・マスク Elon Reeve Musk

起業家。ペイパル、スペースX、テスラ、ニューラリンク、オープンAIなどを共同設立。SNSのツイッターを買収しXと改名。1971年南アフリカ生まれ

ピーター・ティール Peter Andreas Thiel

ベンチャー投資家。ペイパル、パランティアなどを共同設立。フェイスブックの最初期の投資家。2016年の米大統領選でトランプを支持。1967年ドイツ生まれ

【Second Generation 第二世代】

サム・アルトマン Samuel Harris Altman

起業家。ベンチャーキャピタルを経てイーロン・マスクとともにオープンAIを設立。1985年アメリカ生まれ

ヴィタリック・ブテリン Vitalik Buterin

プログラマー。大学在学中にブロックチェーンの汎用プラットフォーム、イーサリアムを考案。1994年ロシア生まれ

PART0

4つの政治思想を30分で理解する

「セックス・ドラッグ・ロックンロール」の１９６０年代、アメリカ社会が公民権運動やベトナム反戦運動、ヒッピー・ムーヴメントで動揺するなか、心理学も大きく変わりつつあった。

フロイト流の心理学（精神分析学）は心を「エス（無意識）・自我（意識）・超自我」の闘争として描いたが、そこにはなんの科学的エビデンスもなかった。

行動主義心理学は、刺激（入力）と反応（出力）の観察を繰り返すことで、心というブラックボックスを科学的・統計的に記述しようとした。

それに対してアブラハム・マズローは、精神分析にも行動主義にも満足できず、主体性・創造性・自己実現といった肯定的な側面を重視する人間性心理学を唱え、それが心の潜在能力を開発しようとするヒューマン・ポテンシャル運動につながった。

そんな心理学の動乱期、ペンシルバニア大学の大学院で心理学を学んでいたマーティン・セリグマンは、行動主義心理学のＳ—Ｒ（刺激—反応）理論（stimulus-response theory）では説明できない「無力なイヌ」という奇妙な現象に気づいた。[5] この研究によってセリグマンはポジティブ心理学を創始し、心理学を自己啓発と融合させ一大ビジネスにしたことで、のちにアメリカ心理学会（ＡＰＡ）会長に選出されることになる。

「無力感」を学習したイヌ

イヌをハンモックに吊るして身動きできないようにし、光が点灯した10秒後に電撃を与えると、イヌは信号の点灯と電撃の関係を学習するが、それを回避することができない。次にそのイヌを自由にして、音が鳴った10秒後に床に電気を流す。床は低い柵で仕切られていて、それを飛び越えれば簡単に電撃を避けることができる。

行動主義心理学のS—R理論では、光と音では刺激が異なるのだから、イヌはただちに電撃を回避する方法を学習するはずだ。実際、対照群の（ハンモックの電撃を経験していない）イヌは、数回の試行で、音が鳴ったとたんにジャンプして柵を乗り越え、安全な場所に移動することを覚えた。

ところが不思議なことに、ハンモックに吊るされて電気ショックを受けたイヌは柵を越えることを学習できず、音が鳴ってもうずくまったまま60秒間ずっと電撃に耐えつづけた。たまに柵を越えることもあったが、次の試行ではまた電撃を受けることになった。

5　C・ピーターソン、S・F・マイヤー、M・E・P・セリグマン『学習性無力感　パーソナル・コントロールの時代をひらく理論』津田彰監訳、二瓶社

セリグマンはこの現象を解明するためにさまざまな実験を行ない、これを「学習性無力感（learned helplessness）」と名づけた。自由を奪われ、どれほどもがいても電気ショックを避けられなかったイヌは、状況を改善できるという〝期待（希望）〟を失い、〝無力感〟を学習したというのだ。

その後、不快な体験（電気ショック）をしても、柵を飛び越えて電撃を回避できたイヌは、ストレスホルモン（ノルエピネフリン）やストレスに関連する神経伝達物質（GABA）などのレベルがほとんど変わらないことがわかった。それに対して、なにをしてもムダだと「学習」してしまったイヌのストレスレベルはきわめて高かった。

ここからセリグマンは、重要なのはストレス体験を避けることではなく（人生では、ストレスはさまざまな場面で問答無用で生じる）、それを自分の力で解決できる選択肢をもつことだと考えた。長期にわたり逃れられないストレスにさらされつづけると、わたしたちは自力での解決をあきらめ、苦痛や不幸、逆境を運命として受け入れてしまうのだ。

それまでも、動物を狭い檻《おり》に閉じ込めると、餌を与えていても弱って死んでしまうことが知られていた。自由を奪われ希望を失い、ただ苦痛に耐えるしかなくなったとき、動物は（もちろん人間も）すべての努力を放棄して無反応になってしまう。セリグマンの実験は、自由の効果を科学的に証明したものとして大きな影響力をもつことになった。

その後、「自由（フリー）」の素晴らしさが小説や映画、コミック、あるいはポップミュージックなどで称揚され、大衆社会に広がっていく。冷戦時代、アメリカと（敵国の）ソ連のちがいは、自由な社会か、自由なき（監視・統制）社会かだった。

こうして現代において、「ラブ・アンド・ピース（愛と平和）」を除けば、「自由」ほど高い価値をもつものはなくなった。だがそれによって、自由をめぐる政治思想は混乱をきわめることになる。

「リベラリズム」の混乱[6]

英語には「自由」を意味する言葉に、"Liberty（リバティ）"と"Freedom（フリーダム）"の2つがある。このうち「リバティ」は自律（責任をともなう自由）、「フリーダム」は好き勝手とか、自由奔放《ほんぽう》（制限なき自由）のニュアンスで使われるから、制度的な自由を論じる政治思想としては、「自由主義」はリバティを語源とするリベラリズム（Liberalism）

6　この話は別のところでも書いたので、「そんなことはもう知ってるよ」という読者はこのパートを飛ばして次に進んでほしい。

に、「自由主義者」はリベラリスト（Liberalist）になる（一般にはリベラル〈Liberal〉と呼ばれる）。

　ところが、ここから話はややこしくなる。第二次世界大戦後、リベラリズム（自由主義）とデモクラシー（民主政[7]）を合体させた政治体制（リベラルデモクラシー）が近代国家（欧米先進諸国）の中核になると、「自由」以外のさまざまな価値がそこに付け加えられたからだ。

　現代社会において政治的なリベラルとは、福祉と人権を重視し平等な社会を目指す運動をいう。「リベラル」を自称するひとたちは、国民から税金を徴収し、それを貧しい人たちに再分配することを当然と考え、競争力のない産業を保護し、ライフライン（電力・水道・ガス）など生活に不可欠な公共財を国家が提供することを求めるだろう。これが「大きな政府」派だ。

　それに対して、国家が個人の私的な領域に介入することを「自由への抑圧」だとして嫌うひとたちがいる。第二次世界大戦後、自由主義的な経済学者は、旧ソ連や毛沢東時代の中国のように経済を国家が中央集権的に統制するのではなく、（アダム・スミスが『国富論』で論じたごとく）自由市場と個人の創意工夫に任せたほうがずっとうまくいくと唱えて、国家による市場の統制を正当化するケインズ経済学を批判した。こちらは「小さな政府」派だ。

1960年代以降、欧米諸国のイデオロギー闘争で主導権を握ったのは「大きな政府」派で、「リベラル」を自称する彼らは、「小さな政府」派に「保守」「右翼」のレッテルを貼って攻撃した。これは当時、リベラルの主要な〝敵〟が、民族の歴史や伝統にもとづく権威主義的な政治体制を支持する勢力（右派）だったからだ。

右派・伝統主義者は、共同体（ぬくもりのある社会）を守るためには、自由や人権を（一定程度）制限することは許容されると主張する。それに対して経済的な自由主義者は、市場から国家の介入を排除し、自由な経済活動（アニマル・スピリット）による伝統や慣習の「創造的破壊」を目指している。両者の経済政策は正反対だが、どちらも「リベラルの敵」だという理由で、「保守」というあいまいなカテゴリーにくくられてしまったのだ。

7　これも繰り返し指摘しているが、〝Democracy（デモクラシー）〟は〝demos（民衆）〟と〝-cracy（支配体制）〟を組みあわせた言葉で、「アリストクラシー Aristocracy（貴族政：優れた者による支配）」や「シオクラシー Theocracy（神政：神の導きによる支配）」と同じく、「民衆（デモス）による支配」を意味するから、これを「民主主義」とするのは明らかな誤訳だ。

その後の政治思想の混乱は、リベラルによるこの不幸な勘違い（あるいは意図的なレッテル貼り）から始まった。日本においてこの傾向はとくに顕著で、リバタリアニズムがまったく理解されないのは、「戦後民主主義」を擁護するメディアや知識人が、すべてを「リベラル（善）」対「保守（悪）」の善悪二元論で説明しようとしたからだ。

「自由」という指輪をめぐる骨肉の争い

「自由主義（リベラリズム）」を奉じているにもかかわらず、「リベラル」の〝陰謀〟によって意に添わぬ「保守」のレッテルを貼られてしまった「小さな政府」派の経済学者らは、リベラリズムを〝詐称〟する「大きな政府」派と区別するために、「古典的自由主義（Classical Liberalism）」を自称するようになった。「古典的」とは「アダム・スミス以来の伝統に連なる正統派」の意味なのだが、これは「元祖釜飯」のようなものでいまひとつ迫力に欠ける。そこで別のグループは、同じ〝Liberty（自由）〟から「リバタリアニズム Libertarianism（自由原理主義）」「リバタリアン Libertarian（自由原理主義者）」という造語をひねりだした。こうして、リベラルとリバタリアンのあいだで、どちらが本物の「自由（リバティ）」にふさわしいかをめぐる骨肉の争いがはじまった。

このように現代では、代表的な2つの政治思想が「自由」という指輪を奪い合う果てしないたたかい（The Lord of the Rings）を続けている。ではなぜ、指輪には「Liberty」の文字が刻まれていなければならないのか。それは、わたしたちが生きている近代社会が、「自由」に至高の価値を与えているからだ。

誰もが自由に人生を選択して自己実現できる（自分らしく生きられる）社会を目指すべきだ――。このことは、一部の過激な宗教原理主義者などを除けば誰も反対しないだろう。異論がないのはこの命題が「正しい」からではなく、リベラルな社会においては「自己実現（わたしらしく生きる）」がすべての前提になっているからだ。人生を論じるうえで「わたしは〝人間〟である」という前提（これも近代のイデオロギーのひとつ）から出発するしかないのと同様に、近代というパラダイムが変わらないかぎり、「自由」と「自分らしさ」の価値を否定することはできない。

このことをもっと簡単にいうこともできる。

自然権としての人権を前提とすれば、リバタリアニズムというのはようするに次のような政治思想だ。

ひとは自由に生きるのが素晴らしい

これに対して、リベラリズムは若干の修正を加える。

ひとは自由に生きるのが素晴らしい。しかし平等も大事だ

自由主義に対抗する思想として「共同体主義（Communitarianism：コミュニタリアニズム）」があるが、それとても「自由」の価値を否定するわけではない。[8] 彼らはいう。

ひとは自由に生きるのが素晴らしい。しかし伝統も大事だ

たったこれだけで、現代の政治思想の枠組みが説明できてしまった。アメリカの共和党と民主党が典型だが、二大政党による政治的対立というのは、「自由」をどのように修正するのか（あるいはしないのか）のアイデンティティ闘争なのだ。

そしてこのことから、「自己責任の論理」として蛇蝎《だかつ》のごとく嫌われるリバタリアンの主張を批判するのが、思いのほか困難な理由が明らかになる。リバタリアニズムは純化された自由主義なので、保守主義者（伝統重視派）であれリベラリスト（平等重視派）であれ、自分自身が拠《よ》って立つ足場（自由の価値）を否定することは不可能なのだ。

チンパンジーの正義

「近代国家」を誕生させたフランス革命は、「自由」「平等」「友愛」の三色旗に象徴される。

「自由」とは「なにものにも束縛されないこと」だが、ジョン・ロックに始まる政治思想では私的所有権こそが自由の基盤だとされた。

誰もが自由に生きるためには、身分制を脱し、人種や性別、国籍や宗教のちがいによってひとを差別しない「平等」な社会をつくらなくてはならない。

さらにわたしたちは、家族や仲間（友だち）といった「共同体（コミュニティ）」をとて

8　伝統を重んじる立場は「保守主義」と呼ばれたが、その後、マイケル・サンデルのようなリベラルな政治哲学者が伝統の価値を再評価したことで、両者を包括する「共同体主義」が使われるようになった。この場合、従来の保守派は「共同体主義右派」となる。

も大切なものと考えている。徹底的に社会的な動物であるヒトは、家族や恋人、友人との絆や、共同体（国家や社会）からの承認によってしか幸福を感じられないのだ。

興味深いのは、「自由」「平等」「共同体（友愛）」というヒトの正義感覚を、サルやチンパンジーも同じようにもっていることだ。

チンパンジーの社会は、アルファオス（かつては〝ボスザル〟と呼ばれたが、最近は〝第一順位のオス〟の意味でこの言葉が使われる）を頂点としたきびしい階級社会で、下っ端はいつも周囲に気をつかい、グルーミング（毛づくろい）などをして〝ボス〟の歓心を得ようと必死だ。

そんなチンパンジーの群れで、順位の低い者を選んでエサを投げ与えたとしよう。そこにアルファオスが通りかかったら、いったいなにが起きるだろうか。

アルファオスは地位が高く身体も大きいのだから、下っ端のエサを横取りしそうだ。だが意外なことに、アルファオスは下位のチンパンジーに向かって掌を差し出す。これは「物乞いのポーズ」で、〝ボス〟は自分よりはるかに格下の者に分け前をねだるのだ[9]。

このことは、チンパンジーの世界にも先取権があることを示している。序列にかかわらずエサは先に見つけた者の〝所有物〟で、ボスであってもその〝権利〟を侵害することは許されない。すなわち、チンパンジーの社会には（自由の基盤である）私的所有権がある。

2つ目の実験では、真ん中を金網で仕切った部屋に2頭のオマキザル（南米に生息し、新世界ザルのなかでもっとも賢いとされる）を入れ、それぞれにエサを与える。

このとき両者にキュウリを与えると、どちらも喜んで食べる。ところがそのうちの1頭のエサをブドウに変えると、これまでおいしそうにキュウリを食べていたもう1頭は、いきなり手にしていたキュウリを投げつけて怒り出す。

自分のエサを取り上げられたわけではないのだから、本来ならここで怒るのはヘンだ（イヌやネコなら気にもしないだろう）。ところがオマキザルは、金網の向こうの相手が自分よりも優遇されていることが許せない。

これはオマキザルの社会に平等の原理があることを示している。自分と相手はたまたまそこに居合わせただけだから、原理的に対等だ。自分だけが一方的に不当に扱われるのは平等の原則に反するので、オマキザルはこの〝差別〟に抗議してキュウリを壁に投げつけるのだ。[10]

9　フランス・ドゥ・ヴァール『あなたのなかのサル　霊長類学者が明かす「人間らしさ」の起源』藤井留美訳、早川書房

3つ目の実験では、異なる群れから選んだ2頭のサルを四角いテーブルの両端に座らせ、どちらからも手が届くテーブルの真ん中にリンゴを置く。初対面の2頭はリンゴを奪い合い、先に手にしたほうが食べるが、同じことを何度も繰り返すうちにどちらか一方がリンゴに手を出さなくなる。

このことは、身体の大きさなどさまざまな要因でサルのあいだにごく自然に序列（階層）が生まれることを示している。いちど序列が決まると、〝目下の者〟は〝目上の者〟に従わなければならない。ヒトの社会と同じく、組織（共同体）の掟を乱す行動は許されないのだ。[11]

このようにサルやチンパンジーの世界にも、「自由」「平等」「共同体」の正義がある。相手がこの〝原理〟を蹂躙《じゅうりん》すると、彼らは怒りに我を忘れて相手に殴りかかったり、群れの仲間に不正を訴えて正義を回復しようとする。興味深いことに、自由主義、平等主義、共同体主義はいずれも「チンパンジーの正義」とつながっているのだ。

正義感覚を欠いた功利主義

自由主義、平等主義、共同体主義は生物学的な〝正義感覚〟に基礎をもつが、その後、正義感覚を欠いているにもかかわらずきわめて影響力の大きな政治思想が登場した。それが功利主義だ。

ジェレミ・ベンサムによって唱えられた功利主義は、「最大多数の最大幸福」として知られる。政治思想は「正義」の本質をめぐる争いだが、ベンサムはこれを不毛な神学論争だと批判し、「なにがよい政治かは結果で判断すべきだ」と主張した。これが「帰結主義」で、いわば「結果オーライ」の思想だ。

功利主義者は、「どの政治的・道徳的主張が正しいかなんてわからない」という立場(不可知論)をとる。だが、わたしたちが社会のなかで生きていくためには、なにが正しくてなにが間違っているかの判断が必要になるので、「いろいろやってみて、うまくいっ

10　ナショナルジオグラフィックTVで動画を見ることができる(「動物も不公平を感じると怒ります―脳トリック」https://www.youtube.com/watch?v=Gxh4TmXBW98)。なお、この印象的な実験には、「オマキザルは不平等に抗議したのではなく、隣のサルを見て自分もブドウがもらえると〝期待〟したにもかかわらず、キュウリが与えられたことで〝期待〟が裏切られ、それに怒ったのだ」との解釈がある。だがたとえこれが正しいとしても、オマキザルの〝怒り〟が平等を求める人間の正義感覚につながっていることは間違いないだろう。

11　藤井直敬『つながる脳』NTT出版

たものが〝正しい〟」と決めてしまうのだ（「とにかくやってみよう」ということの考え方を「プラグマティズム」といい、アメリカ的な楽観主義の理論的基盤となった）。

正しいかどうかを損得（効用）で判断する経済学は、この功利主義ときわめて相性がいい。すぐれた経済政策とは、社会にもっとも大きな効用（＝富）をもたらす政策のことだ。

誰かの効用を犠牲にすることなく、別の誰かの効用を増やすことができれば、社会の「幸福の総量」はその分だけ確実に増える（これを「パレート最適」という）。みんながすこしでも幸福になれば、それが事後的に「正義」になる。政治の役割は、効用（幸福）を最大化するように社会のルールを最適化することなのだ。

それに対して原理主義者は、なんらかの価値の源泉があらかじめ存在すると考える。リバタリアンの場合、この価値＝自然権は「自由」であり、リベラルなら「（自由を含む）人権」になるだろう。リバタリアンが（ハイエクのような）古典的自由主義の経済学者と、リベラルが（国家の市場への介入を擁護する）ケインズ派の経済学者と手を携えるのは、自分たちの奉ずる価値を補強するかぎりにおいてでしかなく、経済学的な功利主義を受け入れているわけではない。

リバタリアンであれ、リベラルであれ、〝原理主義〟的な自由主義の特徴は、（キリスト教原理主義やイスラーム原理主義と同様に）いっさいの妥協を許さないことにある。これは共同体主義者も同じで、過激な右翼活動家は万世一系の天皇の価値をわずかでも毀損するものを許さないだろう。[12]

原理主義者が頑なまでに己の奉ずる価値にこだわる一方で、功利主義者には、生命の重さを計量するような冷酷さがつきまとう。治療の優先順位を決めるトリアージでは、子どもや若者が優先され、高齢者や持病がある患者が後回しになるのは当然とされる。[13]

こうした冷たさを拒否するならば、なんらかの「原理」から善悪を判断するほかない。だが世界はあまりにも複雑なので、どのような「原理」も必ず自己矛盾をきたしてしまう。現代の政治哲学が抱える問題とは、ようするにこういうことなのだ（たぶん）。

12　アメリカの場合は、「独立の父」たちが1787年に制定した合衆国憲法が保守派にとっての聖典になっている。

13　新型コロナの感染が広がり病院の機能が限界に達したとき、これは現実の問題となった。オランダやスウェーデンは厳格なトリアージを実施し、高齢者などに対しては「感染しても治療は受けられない」と通達した。一方、すべての患者を受け入れようとしたイタリアやスペインの病院では医療崩壊を起こし、多数の死者を出すことになった。

正義をめぐる4つの立場

政治思想（主義＝イズム）の対立を理解するうえでの出発点は、「すべての理想を同時に実現することはできない」というトレードオフだ。誰もが、自由で平等で共同体の絆のある功利的な（効用を最大化する）社会で暮らしたいと願うだろうが、これは机上の空論で原理的に実現不可能だ。

知識社会に適応できるかどうかには生得的な個人差があるから、自由な市場で競争すれば富は一部の「遺伝的に恵まれた者」に集中し、必然的に格差が広がっていく。[14] それを平等にしようとすれば、国家が徴税などの〝暴力〟によって市場に介入するしかない。自由を犠牲にしない平等（平等を犠牲にしない自由）はあり得ない。

一方、共同体主義者（コミュニタリアン）は、歴史や文化、伝統などによって支えられた共同体（コミュニティ）こそがひとびとの幸福を生み出すとして、共同体を守るためには個人の自由が一定の制約を受けても仕方ないとする。だがリベラルとリバタリアンは、経済的な不平等を容認するかどうかで激しく対立するとしても、自由であるべき個人を共同体の下位に置くような思想をぜったいに認めないだろう。

それに対して功利主義は、正義の感情的基盤とは関係なく合理性によって幸福を最大化できる制度を構築しようとするから、ある面では正義感覚と一致するとしても、多くの場合、ひとびとの感情を逆なでする。この関係は次頁の図1のようになる。

下部の半円にある3つの「正義」はいずれもサルやチンパンジーと共有している。すなわち、「進化論的な基礎づけ」がある。正義感覚によって直感的に正当化できるこの3つの正義は等価で、リバタリアニズムを中央に置いたのは便宜的なものにすぎない。

功利主義を半円と別にしたのは進化論的な基礎がないからだ。ただし、功利主義の考え方は私的所有権（市場経済）を重視するリバタリアニズムときわめて相性がいいので、その部分との重なりがもっとも厚くなっている。テクノ・リバタリアンは、自由を重視する功利主義者のうち、きわめて高い論理・数学的能力をもつ者たちのことだ。

共同体主義のなかでもっとも功利主義から遠い「保守の最右翼」は、日本古来（とされる）伝統を重んじ、武士道など日本人の美徳を説く（そのさらに右には、〝鬼子〟としての

14　欧米においては、いまやリベラルも遺伝が知能や能力に影響することを認めるようになった。キャスリン・ペイジ・ハーデン（『遺伝と平等　人生の成り行きは変えられる』青木薫訳、新潮社）は、リベラルな行動遺伝学者が、遺伝とどのように向き合うかを論じている。

図1　正義をめぐる4つの立場

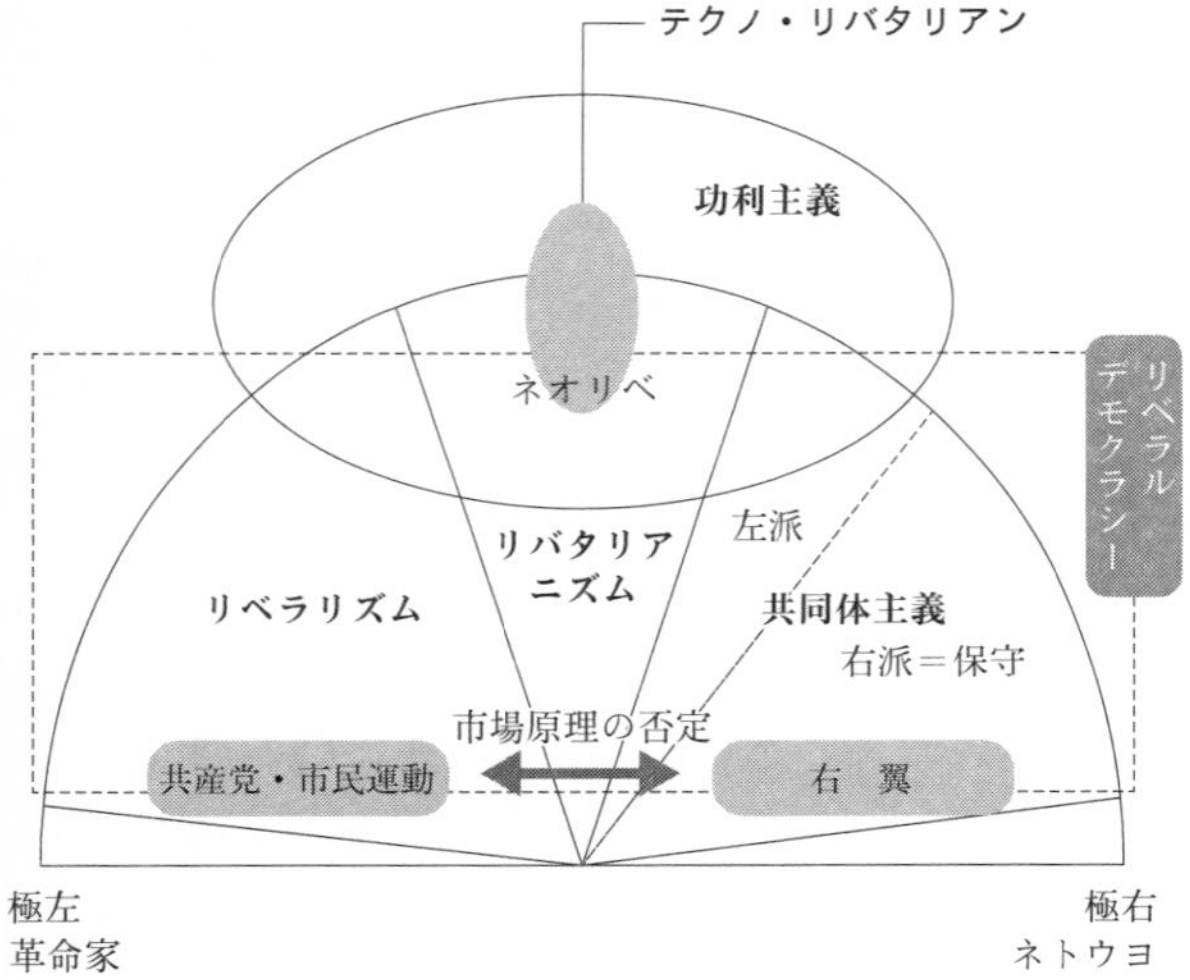

極右やネトウヨがいる）。その一方で左派（レフト）の市民運動活動家は、大企業や富裕層への課税によって社会福祉を拡充し、すべての社会的弱者を国家が救済すべきだと主張する（そのさらに左には革命を目指す極左がいる）。

右翼と左翼は不倶戴天の敵のような関係だと思われているが、最近は市民運動の集会に新右翼の団体が参加することが珍しくなくなった。しかしこれは不思議でもなんでもなく、図を見ればわかるように、市場原理（功利主義）を否定することで両者の思想は通底しているのだ。

リバタリアニズムと功利主義は国家

の過度な規制に反対し、自由で効率的な市場が公正でゆたかな社会をつくると考える。両者の政治的立場はきわめて近いので、日本では包括して「新自由主義（ネオリベ）」と呼ばれているが、原発事故のような極限状況では主張が対立する。功利主義者は電力の安定供給を維持し、金融市場の混乱を避けるために国家による電力会社の救済を容認するだろうが、リバタリアンは市場原理を貫徹して電力会社を破綻させ、株主や債権者がルールに則《のっと》った責任をとることを求めるだろう。

なお、この図ではうまく表現できないが、国家を唯一の共同体とする「コミュニタリアン右派」が典型的な保守派だとするならば、マイノリティを含む多様な共同体を尊重する多元主義（プルーラリズム：pluralism）の「コミュニタリアン左派」はリベラルと親和性が高い。

歴史的に「個人」よりも「世間」が重視されてきた日本では、「自己責任によって自由に生きる個人」を基礎とした欧米型のリベラリズムは浸透せず、右も左もその多くは共同体主義者だ。「日本的リベラル」は、グローバルスタンダードのリベラルではなく、（「白熱教室」のマイケル・サンデルのような）コミュニタリアン左派のことだ。

ジョナサン・ハイトの6つの道徳基盤

アメリカの道徳心理学者ジョナサン・ハイトは、すべての道徳が善悪二元論になっており、そこには進化論的な基盤があると主張した。[15] 政治思想を「リベラリズム」「リバタリアニズム」「共同体主義」「功利主義」に分けるのは、ハイトの分類とも整合性がある。

ハイトによれば、わたしたちは次の6つの道徳基盤をもっている（一部の用語を変更した）。

① **〈安全／危害〉** 子ども（家族）を保護しケアする。弱い者を守る
② **〈公正／不正〉** 協力する者に報い、不正を働く者を罰する
③ **〈忠誠／背信〉** 共同体の結束を強める。仲間意識。愛国心
④ **〈権威／反抗〉** 階層のなかで（上位や下位の者と）有益な関係を結ぶ。支配と服従
⑤ **〈神聖／穢れ〉** 不浄なものを避け、精神や身体を清浄に保つ。宗教感情
⑥ **〈自由／抑圧〉** 自由と私的所有権を尊重する

これら6つの道徳基盤はどれも人間の本性から生じるが、その受け止め方は右派（保守

派）と左派（リベラル）で大きく異なる。
〈安全／危害〉の背後にあるのは「子どもを守る」という感情で、（サイコパスでないかぎり）すべてのひとに共有されている。しかし共同体（コミュニティ）に大きな価値を置く保守派は、これを「自分たちの子どもや家族を守る」と考える。それに対して共同体への忠誠心をあまりもたないリベラルは、「虐げられているすべての子どもを守る」と考えるのだ。
〈公正／不正〉でも、保守派とリベラルでは考え方が両極端に分かれる。保守派が重視するのは「機会の平等」で、公正な競争の結果が不平等になるのは当然だとする。報酬は、各人の貢献の度合いに応じて分配されるべきだからだ。それに対してリベラルは、機会の平等を認めつつも、社会の不平等（格差）が限度を超えて広がることも不正だと考える。そのような場合は「結果の平等」すなわち富める者から貧しい者への所得移転が正義にかなった政策になるだろう。[16]
〈自由／抑圧〉では、抑圧への嫌悪（自由の称揚）は両者で共通するものの、リベラルが

15　ジョナサン・ハイト『社会はなぜ左と右にわかれるのか　対立を超えるための道徳心理学』高橋洋訳、紀伊國屋書店

「独裁権力」を自由を抑圧する元凶と考えるのに対し、保守派は「勤労の倫理を踏みにじる〝不道徳な者たち〟」が自由の敵だとする。保守派はしばしば「自分でまいた種は自分で刈り取れ」「無責任な怠け者はその報いを受けるべきだ」と主張するが、この自業自得（自己責任）の論理は、「俺たちが稼いだカネを働きもしない奴らが奪っていく」ことへの道徳的な怒りなのだ。

「保守」は「リベラル」より多くの道徳基盤をもっている

解釈のちがいがあっても、〈安全〉〈公正〉〈自由〉の価値を保守派とリベラルが共有するのに対して、〈忠誠／背信〉〈権威／反抗〉〈神聖／穢れ〉の3つの道徳基盤は保守派（共同体主義者）にあってリベラルにはないとハイトはいう。

〈忠誠／背信〉基盤は共同体にアイデンティティ融合するためのもので、太平洋戦争で「天皇陛下バンザイ」と叫びながら米軍の艦船に突っ込んでいった特攻隊員の心情に象徴される。[17]こうした道徳基盤が生まれた理由は、結束や紐帯《ちゅうたい》のない部族はたちまち他の部族に滅ぼされてしまったことから説明できる。[18]

〈権威／反抗〉基盤は、目上の者を敬い秩序を重んじる態度で、江戸時代の武士の価値観であり、儒教の説く道徳でもある。こうした道徳観を内面化した者は権威や秩序に従うが、それを専制君主と被支配者の関係ではなく親子関係に近いつながりだと感じている。
〈神聖／穢れ〉基盤は神を人よりも上位に置く道徳観念で、イスラーム原理主義だけでなく、キリスト教やユダヤ教、あるいはヒンドゥーの原理主義（ファンダメンタリズム）がその典型になるだろう。この感情がきわめて強力なのは、「汚いもの」「腐ったもの」「穢れたもの」に嫌悪をもたない個体は、感染症などで淘汰されてしまったからだ。その反面この感情は、インドのカースト制を例に挙げるまでもなく、差別を生み出す元凶にもなった。

共同体への忠誠、権威への服従、神への崇拝（穢れへの嫌悪）という道徳基盤は、歴史的にはきわめて重要なものだったが、ゆたかな先進諸国の世俗的な社会で高い教育を受け

16　これがアファーマティブ・アクション（積極的差別是正措置）で、アメリカ社会を二分する政治的争点になっている。
17　もちろん、実際に「天皇陛下バンザイ」と叫んだのかは検証のしようがない。
18　現代の進化論では、これを血縁淘汰で説明するか、群淘汰＝マルチレベル淘汰で考えるかで激しい論争が続いているが、本書では立ち入らない。

たひとたちがバカにするものばかりだ。典型的なリベラルは、共同体への忠誠よりも個人の自由を、権威への服従よりも反抗（セックス・ドラッグ・ロックンロール）を称揚し、市民が「主権者」だとして、その上に立つ〈神〉を非科学的なものとして退けるだろう。

——その一方で、ヨガや神秘思想など「スピリチュアル」なものには強く惹かれている。

ここからハイトは、現代社会においてなぜ「保守」が「リベラル」を圧倒しているように見えるかをきわめてシンプルに説明する。

保守派の政治的主張は、〈安全〉〈公正〉〈自由〉〈忠誠〉〈権威〉〈神聖〉という6つの「道徳基盤」をすべて備えている。それに対してリベラルは、〈忠誠〉〈権威〉〈神聖〉の3つの価値を無視するのだから、道徳の基盤は〈安全〉〈公正〉〈自由〉の3つしかない。この両者が争えば、どちらがより多くの支持を得るかは明らかだというのだ。

日本も世界も「リベラル化」している

ジョナサン・ハイトは、保守派（アメリカでは共和党支持者）のほうが進化論的な道徳基盤をより多くもっており、リベラル（民主党支持者）は道徳基盤が欠落しているとするが、私はこれを「リベラル化」の必然だと考えている。「自分らしく生きる」ことを至上のものとするリベラルな社会では、「わたしらしく輝くこと」の障害になる共同体の拘束、権威への服従、神からの命令などはすべて拒絶されることになるだろう。

２０００年代になってから、日本は「保守化・右傾化」しているとさかんにいわれたが、この〝常識〟に反して夫婦別姓や同性婚への支持は上昇しており、とりわけ若者層ではどちらも8割を超えている。[19] さらに、安倍晋三政権時代に行なわれた世代別の政党観の調査では、若者は共産党を「保守的」、日本維新の会を「リベラル」とし、自民党は「中道」で、民進党（現、立憲民主党）よりも「リベラル」だと見なしていた。若者の「保守化」というのは、これまで「リベラル」を自称していた政党が（高齢者の）既得権を維持する守旧派と化したことで、若者や現役世代から見捨てられただけのことだったのだ。[20] このよ

19　２０２１年度に内閣府と法務省が行なった家族の法制に関する世論調査では、選択的夫婦別姓を「導入した方がよい」は29％、夫婦同姓を「維持した方がよい」は27％だったが、この調査では「旧姓の通称使用についての法制度を設けた方がよい」という新たな選択肢が加えられ、42％がこれを支持した。だが法制度で旧姓の使用を認めることも「夫婦別姓」であり、これを加えると全体の71％、18歳から29歳では80％超が実質的な夫婦別姓を支持している。同性婚についてはメディア各社の世論調査で全体の7割前後が賛成し、若い世代では8割を超えている。

20　拙著『朝日ぎらい』朝日新書

うに考えれば、ハイトの指摘とは逆に、日本も世界も「リベラル化」の巨大な潮流のなかにあることがわかるだろう。

リベラル化というのは「自由に生きるのは素晴らしい」という価値観だから、そこでは誰もが人種、性別、性的指向、性自認などの「アイデンティティ」に敏感になる。こうして人種差別や性差別、LGBT（性的少数者）への差別や偏見は世界的にものすごく嫌われるようになった。

だがアイデンティティは、抑圧され、差別されたマイノリティの〝特権〟というわけではない。欧米では社会からも性愛からも排除された（主に低学歴＝非大卒の）白人男性を中心に、「抑圧され、差別されたマジョリティ」のアイデンティティ化が進んでいる。

欧米社会を揺るがす「白人至上主義」のポピュリズムは、白人の優越を唱え有色人種を差別しているというよりも、その実態は「自分が白人であるということしか誇るもののない」マジョリティのアイデンティティ運動だ。同様に日本社会の「ネトウヨ」は、自分が日本人であるということしか誇るもののない「日本人アイデンティティ主義者」と定義できるだろう。

リベラル化とアイデンティティ化は、同じコインの表裏だ。

リベラル化が進めば進むほど、マイノリティだけでなく（知識社会から取り残された）マジョリティのあいだでもアイデンティティが強く意識されるようになり、両者が対立する。リベラルを自称するひとたちはいまだにまったく理解しようとしないが、リベラルな政策によって保守化（マジョリティのアイデンティティ化）に対抗しようとしても、なんの効果もないばかりか、保守派の憎悪と抵抗はますます激しくなるだけなのだ（コインの表面だけを大きくして、裏面を消し去ることはできない）[21]。

政治思想の道徳基盤を図解する

それでは、ハイトの6つの道徳基盤を、私の「正義をめぐる4つの立場」に当てはめてみよう（次頁図2）。

まず、〈安全〉は（極右や極左を除けば）すべての政治思想に共有されている。自分や家族の生命を守ることができないのなら、どのような正義も意味はない。

21　リベラル化が進むことで、欧米では左派（レフト）がリベラルな知識人の人種差別や性差別を批判し、キャンセル運動の標的にする新たな現象が起きている。詳しくは拙著『世界はなぜ地獄になるのか』（小学館新書）を参照。

図2　政治思想の道徳基盤

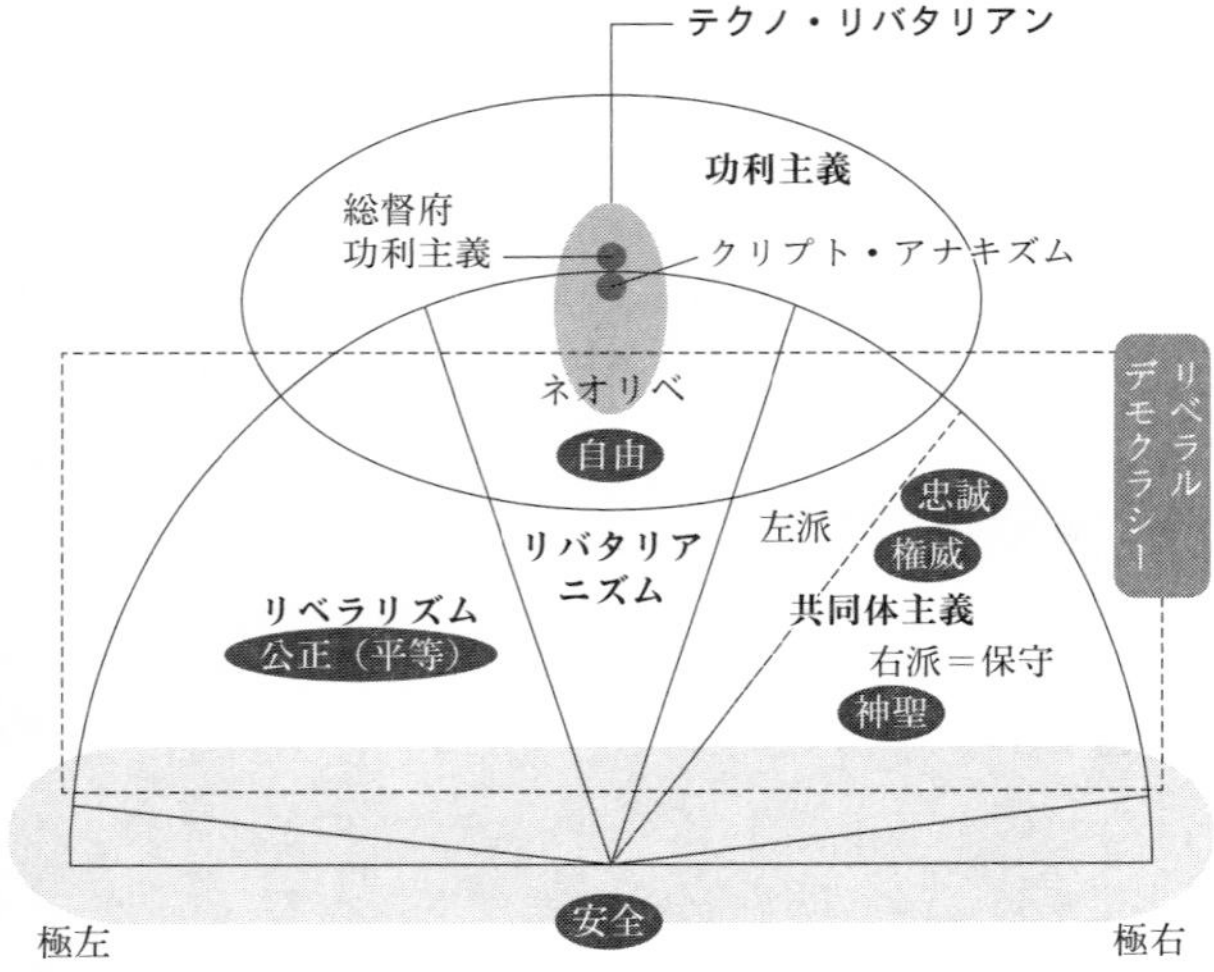

ハイトはリベラルと保守派を対立させるが、私の分類では、（広義の）リベラリズムは〈公正（平等）〉を重視するリベラルと、〈自由〉を重視するリバタリアンに分けられる。残る〈忠誠〉〈権威〉〈神聖〉はコミュニタリアン（共同体主義者）には大きな関心事だが、リベラルとリバタリアンはさしたる興味をもたないだろう。

ハイトは進化論的な道徳基盤を考えたため、進化から切り離された正義論である功利主義を射程に入れることができなかった。これが、「保守」と「リベラル」を対立させるハイトの単純な二元論の限界だ。

この図からわかるように、自由主義と民主政の組み合わせである「リベラルデモクラシー」は政治思想の一部しかカバーしていない。マルクスは、理想社会を実現するためには「前衛政党」である共産党の独裁が必要だと唱えた。イスラーム原理主義者（サラフィスト）は、「主権」は神のものだとして、人（民衆）を神の上に置く民主政をぜったいに認めないだろう。

同様に原理主義的リバタリアンは、デモクラシー（民衆の正義）が自由の価値を毀損すると考えれば、民主政を捨て去ろうとするはずだ。暗号（クリプト）によって国家の規制のない社会をつくろうとするこの立場は「クリプト・アナキズム」と呼ばれる。

それに対して功利主義を徹底する一派は、テクノロジーのちからによって社会を最適化しようとする。この場合も、民主政が（彼らの）幸福の最大化の障害になると考えれば、それに代わる統治が選ばれるかもしれない。本書ではこの立場を「総督府功利主義」と名づけた。――これが本書のテーマだが、とりあえずここでは、クリプト・アナキズムと総督府功利主義が一卵性双生児のような関係にあることを頭に入れておいてほしい。

経済格差の拡大をネオリベ（新自由主義）が引き起こしたと批判するひとたちがたくさんいるが、これは因果関係を間違えている。たんなる政治思想に市場経済を動かすようなちからがあるはずがない。そうではなくて、高度化する知識社会をもっともうまく説明できるからこそ、「役に立つ思想」としてネオリベが選ばれたのだ。

そう考えれば、生成AI、遺伝子編集、ブロックチェーンなどSFのようなテクノロジーが次々と現われるいま、なぜテクノ・リバタリアニズムが大きな影響力をもつようになったかわかるだろう。それはなにかの「陰謀」ではなく、時代の必然なのだ。

これでようやく準備が整った。それでは、テクノ・リバタリアンを象徴する2人の人物（X‐MEN）から本編を始めることにしよう。

PART1　マスクとティール[22]

２０００年公開のハリウッド映画『Ｘ－ＭＥＮ』は、第二次世界大戦下のポーランドの強制収容所の場面から始まる。

一人のユダヤ人の少年が、ガス室に送られる両親と無理矢理引き離され、悲しみのあまり泣き叫ぶ。少年は取り押さえようとした兵士たちを異常なちからで引きずり、銃で頭を殴られ昏倒したときには、頑丈な鉄の扉が大きくねじ曲げられていた。

金属を自在に操る能力をもったこの少年は、家族を殺されたことで人類に敵意を抱くようになり、長じてマグニートーと名乗って、自分と同じようなミュータントを集めて世界を支配しようとする。

一方、テレパシー能力を操るプロフェッサーＸは、突然変異によって特殊な能力をもつようになったミュータントの子どもたちを「恵まれし子らの学園」で保護し、人類との共生を目指していた。プロフェッサーＸに協力するミュータントたちが「Ｘ－ＭＥＮ」だ。

Ｘドットコムとペイパル

学生時代に起業した会社を売却して27歳で２２００万ドルという大金を得たイーロン・マスクは、それを使って１９９９年にＸドットコムという会社を創業する。マスクはマーベル・コミックの『X-MEN』シリーズのファンで、最初の妻とのあいだに生まれた双子の一人をプロフェッサーXの本名と同じ「ゼイヴィア（Xavier）」、ミュージシャンのグライムスとのあいだの子どもの一人を「X（正しくはX Æ A-12）」と名づけた。[23]

カナダの大学時代、銀行でインターンを経験したマスクは、金融業界がどうしようもなくアナログで旧態依然なことにたちまち気づき、送金・決済から投資まですべてネット上で完結する金融の総合サービスをつくろうとした。[24]

マスクはXドットコムで、個人間の送金を電子メールだけで簡単に行なえるようにしたが、かつて同じビルに入居していたコンフィニティというベンチャーも、同様のサービス

22　本稿の記述は、ウォルター・アイザックソン『イーロン・マスク』（井口耕二訳、文藝春秋）、アシュリー・バンス『イーロン・マスク　未来を創る男』（斎藤栄一郎訳、講談社）、トーマス・ラッポルト『ピーター・ティール　世界を手にした「反逆の起業家」の野望』（赤坂桃子訳、飛鳥新社）、Max Chafkin "The Contrarian: Peter Thiel and Silicon Valley's Pursuit of Power" Penguin Press、ジミー・ソニ『創始者たち　イーロン・マスク、ピーター・ティールと世界一のリスクテイカーたちの薄氷の伝説』（櫻井祐子訳、ダイヤモンド社）による。煩瑣になるので、引用以外、個別に出典は記載していない。
23　「エックス・アッシュ・エー・トゥエルブ」と発音するらしい。
24　2022年に買収したツイッターを「X」に改名したのは、このときのビジョンを実現するためだ。

を提供していた。その決済システム「ペイパル」は、オークションサイトのイーベイで人気を集めていた。この会社を創業したのは、ピーター・ティールというベンチャー投資家と、若いプログラマーのマックス・レヴチンだった。

Xドットコムとコンフィニティは、たちまち熾烈《しれつ》な顧客獲得競争に突入し、口座を開いたり友だちを紹介したりしたユーザーに多額の報奨金を支払った。これによって両社の資金は急速に枯渇し、やがて競争するよりも共同で市場を独占したほうが得だと考えるようになる。紆余《うよ》曲折はあったものの、両者は株式比率50対50で合併し、社名をXドットコム、サービス名をペイパルにして、マスクがCEOに就いた。

この合併が2000年3月で、映画『X–MEN』がアメリカで公開されたのは同年7月だった。新会社の社員たちはシリコンバレーの映画館を借り切り、"X.com"とプリントされたTシャツを着てこの映画の上映会を行なった。

3人のギフテッド

映画『アイアンマン』のモデルにもなったイーロン・マスクは、宇宙ロケット開発のスペースX、電気自動車のテスラ、通信衛星システムのスターリンクなどを創業しただけでなく、２０２２年10月にＳＮＳ（ソーシャル・ネットワーク・サービス）のツイッターを買収したことで話題をさらった。マスクは実在の人物だが、一時は個人資産が３０００億ドル（約45兆円）を超え、その存在は現実離れしている。事業の目的が「人類を絶滅から救い、火星に移住させる」ことだとすれば、なおさらだ。

一方のピーター・ティールは、民主党支持のリベラルが大半のシリコンバレーで、２０１６年の米大統領選でドナルド・トランプを支持したばかりか、共和党の全国大会で応援演説までした。この〝逆張り〟のギャンブルに勝ったティールは、トランプ政権発足時に有力な顧問の一人になり、ティム・クック（アップルＣＥＯ）、ジェフ・ベゾス（アマゾンＣＥＯ）、ラリー・ペイジ（アルファベットＣＥＯ）、シェリル・サンドバーグ（フェイスブックＣＯＯ）、サティア・ナデラ（マイクロソフトＣＥＯ）[25]、イーロン・マスクなどシリコンバレーの大物たちを一堂に集め、新大統領を囲む会合を取り仕切った。これによってティールはアメリカのハイテク業界で大きな影響力をもつようになり、オンライン政治メディアのポリティコは「影の大統領」と呼んだ。

25　肩書はすべて当時。ペイジは２０１９年12月、ベゾスは21年7月にＣＥＯを退任、サンドバーグは22年6月にＣＯＯ退任を発表。

マスクは1971年に南アフリカに生まれ、高校卒業後に親戚を頼ってカナダに渡り、その後、アメリカに移住。ペンシルバニア大学ウォートン校を卒業した95年に、弟のキンバルとシリコンバレーでインターネット版シティガイド「Zip2」を創業した。

ティールは1967年に旧西ドイツのフランクフルトに生まれ、鉱山会社で働く父に連れられて1歳でアメリカに移住、父の仕事の関係で子ども時代をナミビアや南アフリカで過ごしている。9歳でアメリカに戻ったティールはスタンフォード大学のロースクールを出て法律家を目指したが、エリートコースとされる最高裁判事の法務事務官に選ばれず挫折、しばらくウォール街の金融機関で働いたあと、20代後半になって「人生の意味」を求めて西海岸に戻ってきた。

ティールとともに「ペイパル」を立ち上げるマックス・レヴチンは、1975年に旧ソ連のウクライナ共和国に生まれ、ユダヤ人難民支援団体の資金で16歳のとき一家でアメリカに移住、イリノイ大学アーバナ・シャンペーン校のコンピュータサイエンス学部に入学、2年生のとき(95年)に、ハッカーのサークルで知り合った仲間とウェブサイト向けの広告制作会社を創業した。このプロジェクトは失敗したが、在学中にさらに2つのベンチャーを創業し、一足早く成功した友人を頼って98年にシリコンバレーに向かった。

マスク、ティール、レヴチンの3人に共通するのは、外国生まれのアウトサイダーで、なおかつ数学やコンピュータの天才（ギフテッド）であることだ。

マスクは経済学と物理学の学位を取得したあと、材料工学を学ぶためにスタンフォード大学の大学院に進学する予定だった。[26] レヴチンは、アメリカ計算機学会のイリノイ大学支部に入り浸った筋金入りのハッカーだった。法学部出身のティールは、プログラマーやエンジニアばかりのシリコンバレーでは珍しい経歴だが、中学時代にカリフォルニア州の数学コンテストで1位になり、13歳未満のチェス競技会で全米7位にランキングされたことがある。

奇妙なミーティング

法曹の道をあきらめ、ウォール街にも見切りをつけたピーター・ティールは、1990年代後半のITバブルに乗ろうと、ベンチャーに投資するファンドを立ち上げたものの、投資対象をなかなか見つけられなかった。

26　最初の起業のため休学し、そのまま退学した。

ファンドの仕事の片手間に、ティールは母校スタンフォード大学で客員講師をしていた。そんなある日、アパートにクーラーがなかったレヴチンが、暑さしのぎにティールの公開講義に参加した（レヴチンはイリノイ大学の級友から、ティールのことを聞いていた）。

金融ベンチャーについてのティールの知見に感心したレヴチンは、授業のあとに呼び止め、大学時代に創業した会社が買収されたばかりだと話した。その話に興味をもったティールが朝食に誘い、レヴチンはスタートアップのアイデアを売り込んだ。

そのなかのひとつが、パームパイロットという携帯端末の情報を暗号化し、メールや文書を安全にやり取りするアプリを開発することだった。これがうまくいけば、鈍重なパソコンを使わずに、携帯端末でどこでもクレジットカードを使った買い物や、銀行送金・株式売買などの金融取引ができるようになるはずだった。

このアイデアがコンフィニティ（ペイパル）につながっていくのだが、興味深いのはティールとレヴチンの「ミーティング」だ。その後の数週間、2人は何度も会うようになるが、ときにはクイズを出し合って何時間も過ごした。

まずティールが、「整数には、約数の個数が奇数個のものと、偶数個のものがある。約数の個数が偶数個である、z未満の整数の個数はいくつか？」という問題を出す。レヴチンは最初は難しく考えすぎて回り道をしたが、最後は正解にたどり着いた（答は「z未満の完全平方数の個数をzマイナス1から引いた数」）。

次にレヴチンが「密度にムラがある2本のロープがある。ロープに火をつけると、燃える速さは違うが、完全に燃え尽きるまでにどちらも1時間かかる。2本のロープを使って正確に45分計るにはどうしたらいいか？」という問題を出し、ティールが正答した（「1本目のロープの両端と、2本目のロープの片端に、同時に火をつける。1本目のロープは30分後に燃え尽きる。燃え尽きたその瞬間に、2本目のロープの残りの片端に火をつければ、2本目のロープが燃え尽きるのは、最初からちょうど45分後である」）。

ティールとレヴチンは、このような数学クイズや論理クイズで気晴らしができる「特殊な人種」だった。2人はこの奇妙な会話によって、自分たちが「同類」であることを確認していたのだ。

シリコンバレーは、たまたま出会った相手と数学クイズに興じられる特別な場所だった。だからこそ、なにもない小さな町に世界中から「数学の天才」たちが集まってきた。なぜなら、子どもの頃に自分と同じような者がまわりにおらず、つねに孤独だったから。

SFとファンタジー

子ども時代のマスクは知的好奇心が旺盛だったが、友だちをつくるのは苦手で、考え事をはじめるとまわりのことが入ってこなくなった。「学校ではいつもひとり寂しい思いをしていたようです」と母親はいう。「イーロンが友だちを家に連れてきたことはありません。友だちは欲しいのに、どうすればできるのかわからなかったんです」

小学校ではクラスでいちばん身体が小さく、友だちに好かれたいとも思わないため、どこに行ってもいじめられた。あるときはささいな諍《いさか》いからひどく殴られ、隣にいた弟のキンバルが「最後は人相が変わりすぎて、だれだかわからなくなりました。目がどこにあるのかもよくわからないほど腫れ上がってしまって」と証言するほどの怪我を負った。

そんな息子に対して父のエロールは、1時間も立たせたまま、大バカだ、ろくでなしだと罵倒した。相手に「ばかやろう」といった息子に非があるというのだ。――この父親との関係が、その後のマスクの人生に昏《くら》い影を落とすことになる。

マスクは高校時代に読書にはまり、午後から夜まで9時間ぶっ通しで読みつづけ、父がもっていた百科事典2セットを通読し、ほとんど暗記してしまった。SF(もっとも大きな影響を受けたのはダグラス・アダムスの『銀河ヒッチハイク・ガイド』)のほかにコミックも大好きで、とくにスーパーヒーローものに心が躍ったと語る。

スーパーヒーローは、いつも、世界を救おうと戦ってるんです。下着にしか見えないパンツ姿だったり体にぴったり張りつく鋼鉄の鎧だったりで、どう考えても変な格好なんですが、でも、彼らは世界を救おうとがんばっているんです。（アイザックソン『イーロン・マスク』）

父の部屋には、イオンエンジンのロケットについて書かれた本もあった。ガスではなく粒子を噴射するタイプで、「あの本を読んで初めて、ほかの惑星に行くことを考えました」と、マスクはいまもそのときの感動を覚えている。

饒舌《じょうぜつ》なマスクに比べてティールは自分の子ども時代をほとんど語らないが、ナミビアの厳格なドイツ語学校や、アパルトヘイト時代の南アフリカで、白人だけのエリート校に通っていた頃は、やはり友だちがほとんどできなかったようだ。一人で本を読むか、両親のどちらかとチェスをしていた。

アフリカでティールが通った学校では、男子生徒はブレザーとネクタイの着用が義務づけられ、週に一度のテストでは、綴りを間違えるとその数だけ定規で手の甲を叩かれた。ティールはこの抑圧的な教育を嫌い、後年、リバタリアンになった理由のひとつとして挙げている。

アメリカの高校でも、華奢で生意気なティールはいじめのターゲットにされた。級友によれば、ティールの言動がどこか「女っぽい」のも、いじめられる原因になった。ティールは「外国人」であるだけでなく、「同性愛者（ゲイ）」でもあった。

高校時代のいたずらで、車で近所を走り"For Sale（買い手求む）"の看板を集めるのが流行ったことがあった。十数本の看板は夜中のうちにティールの家の前庭に立てられ、翌日、「ピーター、引っ越すことになったんだったね」とからかわれるのだ。

そんなティールが夢中になったのはファンタジーとSFで、とりわけJ・R・R・トールキンの『指輪物語』は何度も繰り返し読んで、とうとう三部作すべてを暗記してしまった。

スティーヴ・ジョブズが西海岸のヒッピー・ムーヴメントに大きな影響を受けたことから、シリコンバレーの文化はカウンターカルチャーと資本主義が合体した「カリフォルニアン・イデオロギー」だといわれる。だが現代のテクノ・リバタリアンたちは、ヒッピーやコミューン、東洋思想よりもSFやアニメのようなサブカルチャーの申し子で、子どもの頃に憧れた世界をテクノロジーのちからで実現しようとしているのだ。

この世界でようやく出会えた「同類」

イーロン・マスクが創業したXドットコムと、ピーター・ティールとマックス・レヴチンのコンフィニティ（ペイパル）は合併し、いったんは最大の株主であるマスクがCEOの座に就いた。ところがマスクの強引な方針（ユニックスのプログラムでつくられたペイパルのシステムをウィンドウズに移行しようとした）にレヴチンらが反発、マスクがオーストラリアに新婚旅行に行っているあいだに取締役会を説得し、わずか4カ月でCEOを解任、第一線を退いていたティールをその座に就けた。映画『X-MEN』の上映会を行なってからわずか2カ月後の、2000年9月のことだった。

このクーデターが、マスクの起業家としてのキャリアの大きな転機になった。最初は「裏切り」に激怒し抵抗したが、大勢が決したと悟ると、マスクは社員たちに「Xドットコムが次の段階に進むには練達のCEOを迎える必要があると思います」とのメールを送り、潔く解任を受け入れたのだ。

インターネットバブルはすでに崩壊の兆しを見せており、翌2001年9月11日にはニューヨークのワールドトレードセンターに旅客機が激突する同時多発テロが起きた。世情が騒然とするなか、ティールは02年2月にペイパルのIPO(新規株式公開)を成功させ、冷静な交渉力で7月に15億ドルでイーベイに会社を売却した。

これによって最大株主のマスクには2億5000万ドルという巨額の利益が転がり込み、その資金を元にスペースXとテスラを創業することになる。マスクはその後、ティールやレヴチンなどクーデターの「主犯」たちと和解し、スペースXがロケット発射に3度失敗して倒産寸前に追い込まれたとき、ティールは自らのファンドから2000万ドルを投資して危機を救った。

このときマスクは、顧客から預かったテスラ(ロードスター)の予約金を運転資金に回し、友人や家族から借金をしないと従業員の給料が払えず、あまりの窮状を見かねて、当時の婚約者の両親まで自宅を抵当にいれて資金援助しようとした(さすがにこれはマスクが断った)。

絶体絶命のスペースXを救済すべく、ティールに出資を勧めたのは、レヴチンのイリノイ大学時代の友人で、コンフィニティを共同創業したルーク・ノセック(彼もポーランドからの移民）だった。ノセックはスペースXの最初の投資家で、「イーロンがしているのはすごいことで、我々も一枚かむべきだ」とティールを口説いたが、「（ティールには）ペイパルのごたごたを埋めあわせるような意識もどこかにあった気がします」とも語っている。

当時を回想して、マスクはこう述べている。

因果応報というやつでしょうか。元老院で刺されたシーザーのように、私は、ペイパルのクーデターリーダーに暗殺されたわけですよ。そのとき、なんてことしやがんだとこき下ろすこともできました。でもしなかった。こき下ろしていたら、（ピーター・ティールの）ファウンダーズファンドが２００８年に助けてくれることもなく、スペースXは死んでいたでしょう。占星術とかはまるで信じていませんが、因果応報というのはたしかにあると思います。（アイザックソン『イーロン・マスク』）

Xドットコムとコンフィニティからはその後、多くの起業家が誕生し、ピーター・ティールを中心に「ペイパルマフィア」と呼ばれるようになる（マスクはその一員ではないも

の の、いまも彼らとの交友は続いている)。
アメリカのネットメディアなどでは、しばしばイーロン・マスクは〝光〟、ピーター・ティールは〝闇〟として語られる。映画『X-MEN』ではプロフェッサーXが善、マグニートーが悪の役柄だが、2人はかつて親友で、敵対しつつも憎み合うことはできない。なぜなら、2人はこの世界でようやく出会えた「同類」なのだから。

システム化脳と共感脳

知能指数(IQ)は学力(偏差値)と同じく正規分布する。これはベルカーブとも呼ばれ、平均付近にもっとも多くの事象が集まり、そこから離れるほどまれになる(図3)。

IQは100を平均として1標準偏差が15(偏差値は50を平均として1標準偏差が10)で、定義上、IQ145(偏差値換算で80)以上160(同90)未満は0・14%で約700人に1人、IQ160以上175(同100)未満は0・003%で10万人に3人、IQ175以上は0・000285%で350万人に1人になる。日本には1億人、全世界には80億人が暮らしているが、IQ175を超える者は日本に約30人、世界でも約2300人しかいない。ギフテッドはマイノリティなのだ。

図3　正規分布（ベルカーブ）

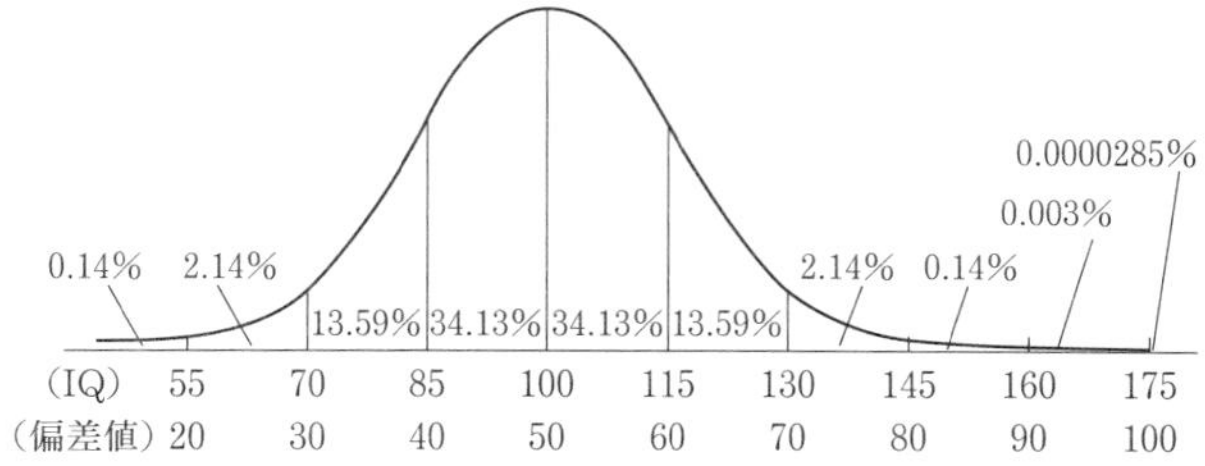

認知科学では、認知能力を「結晶性知能」と「流動性知能」に分ける。前者は言語能力など経験や学習によって獲得する知能で、後者は直感力のような脳の反応の速さをいう。流動性知能は、一般には論理的・数学的な能力のことだ。

イーロン・マスクは技術的な問題を素早く把握し、その解決方法を見つけ出す「特殊な能力」をもっているが、これは流動性知能がきわめて高いからだろう。そのマスクは、（正式な診断を受けたわけではないものの）自らを「アスペルガー」だと述べている。アスペルガー症候群の定義は定まっていないが、ＡＳＤ（自閉スペクトラム症。以下、「自閉症」）のうち、知的障害や言語障害をともなわないものをいう（「高機能自閉症」とも呼ばれる）。

イギリスの発達心理学者サイモン・バロン＝コーエンは、自閉症の研究から、「脳には大きく分けて〝システム化〟と〝共感〟の2つの機能があり、両者はトレードオフの関係にある」と考えた。[27] これが物議をかもしたのは、「男には〝システム化脳〟が、女には〝共感脳〟が多い」との主張が、「男は理性的、女は感情的」というジェンダー・ステレオタイプを正当化していると見なされたからだ。[28]

これに対してバロン＝コーエンは、自閉症は過度にシステム化された脳が引き起こす発達障害で、その割合は男児が80～90％と大きく偏っていると反論した。男女になんの生物学的な性差もないとすれば、この極端なちがいを説明するには、親が男児にだけ、自閉症になるような異常な養育（虐待）をしているとするほかない。こうしていまでは、同性愛のような性的指向や、トランスジェンダーのような性自認と同じように、自閉症など発達障害の原因も（主に）遺伝だと認められるようになった（男性に自閉症が多いのは、胎児のときに浴びた性ホルモンのテストステロンが関係しているとされる）。[29]

共感には、相手の感情と自分の感情を重ね合わせる「感情的共感（相手が泣いていると自分も悲しくなる）」と、相手がなぜそのような感情を抱くのかを理解する「認知的共感（泣いている相手を見て、その理由を察知する）」がある。後者は「心の理論」とも呼ばれるが、バロン＝コーエンによれば、自閉症者はこの理論をうまく構築することができない。

自閉症の子どもは、母親が泣いていると自分も悲しい気持ちになるので、その状況になんとか対処しようとするが、なぜ母親が泣いているかを理解できないため、どうしたらいいかわからない。自閉症者に特有のこうした体験は、「別の惑星から来て、自分が参加できないゲームの脇から他の種族を眺めているようだ」と表現される。動物学者で自閉症者でもあるテンプル・グランディンは、精神科医のオリヴァー・サックスに、自分は「火星の人類学者」だと語った。[30]

極端にシステム化された脳をもつ子ども

世界富豪ランキングで個人資産10兆円を超える大富豪の顔ぶれを見ると、イーロン・マ

27　サイモン・バロン＝コーエン『自閉症とマインド・ブラインドネス』長野敬、長畑正道、今野義孝訳、青土社
28　サイモン・バロン＝コーエン『共感する女脳、システム化する男脳』三宅真砂子訳、NHK出版
29　子宮内テストステロン濃度が高いほど、生後、より多くの自閉症形質が発現することと、自閉症の子どもの胎内環境を遡って調べると（デンマークのバイオバンクにはこうした資料が保存されている）、一般的な子どもよりも出生前テストステロンの平均値が高いことが確認されている。
30　オリヴァー・サックス『火星の人類学者　脳神経科医と7人の奇妙な患者』吉田利子訳、ハヤカワ文庫NF

スクを筆頭に、ジェフ・ベゾス（アマゾン）、ラリー・エリソン（オラクル）、ビル・ゲイツ（マイクロソフト）、ラリー・ペイジとセルゲイ・ブリン（グーグル）、マーク・ザッカーバーグ（メタ／フェイスブック）など、シリコンバレーを中心としたIT起業家の名前がずらりと並んでいる。彼らに共通するのは、きわめて高い論理・数学的知能を活かしてハイテク系ベンチャーを創業し、大きな成功を収めたことだ。

しかしその一方で、シリコンバレーに集まる天才たちには、ある種の共通するパーソナリティがあるといわれている。それが「自閉症傾向」だ。

EQ（Emotional Quotient）は「心の知能指数（共感指数）」として知られる、他者の感情を素早く察知し、適切な対応をとる能力のことだ。それに対してSQ（Systemizing Quotient）はバロン＝コーエンが開発した「システム化指数」で、これが高いほど、複雑な環境のなかから素早くパターンを検出できる。

論理・数学的知能（SQ）と言語的知能（EQ）は、いずれも知識社会を生きていくのに重要だが、脳のリソースは限られており、どうやら両者を高いレベルで維持することはできないらしい。

EQが高いとSQは低くなり、相手の感情を素早く察し、その場に応じて適切なコミュニケーションをとることは得意だが、複雑な計算や機械の操作は苦手だ。SQが高いとEQが低くなり、コンピュータのプログラミングやチェスなどのボードゲームで高い能力を発揮するが、相手の気持ちがわからず人間関係でトラブルを起こしやすい。この認知資源の制約から、男は（平均として）論理・数学的知能に、女は（平均として）言語的知能に特化するように進化したというのがバロン＝コーエンの主張になる。

極端にシステム化された脳をもつ「ハイパー・システマイザー」は、きわめて高い論理・数学的な能力に恵まれているものの、その代償として、相手がどう感じるかをうまく理解することができない。認知的共感は一般に「コミュ力」と呼ばれるが、それが低いと、学校では友だち集団から排除される原因になる。これは、マスクやティールの子ども時代の体験をうまく説明するだろう。

ハイパー・システマイザーの末裔

バロン＝コーエンは、シリコンバレーの成功者の多くはハイパー・システマイザーであると同時に、「パターン・シーカー（パターンを追う者）」でもあるという。[31]

古代のパターン・シーカーは、なぜ潮の満ち引きがあり、満潮と干潮の差が日によってちがうのか疑問に思った。満潮と干潮を繰り返し観察すると、季節にかかわらず、満月と新月のときは（満潮と干潮の潮位差が大きい）大潮に、上弦と下弦の月のときは（潮位差が小さい）小潮になるパターンがあることに気づいた。

潮の干満に月が影響していることがわかると、次はなぜそうなるか疑問をもつだろう。記録によれば、紀元前300年頃の古代ギリシアの天文学者アリスタルコスは、潮の満ち引きと月齢の関係を指摘しただけでなく、月が地球のまわりを回っているように、地球は太陽のまわりを回っているとする地動説を唱えた。

バロン＝コーエンは、およそ10万年から7万年前に、アフリカで暮らしていたホモ・サピエンスのなかにパターン・シーカーが生まれたと考える。この「新人類」は、たんに石を割っただけの手斧ではなく、石の種類や割れ方を観察して精巧な石器をつくった。さらには、その石器を長い棒に取りつけた槍や、蔓《つる》を使ってそれを飛ばす弓矢を発明した。

システム思考をするようになった「進化したサピエンス」は、アフリカからユーラシアに進出し、マンモスなどの大型獣や、ネアンデルタール人やデニソワ人などの先住民を滅ぼしながら瞬く間に地球全体に拡散した。木をくりぬいたカヌーで海を渡り、6万5000年前にインド洋のアンダマン諸島に、6万2000年前にオーストラリアに到達している。

人類を火星に移住させようとするイーロン・マスクは、こうしたハイパー・システマイザー（きわめてシステム化された脳をもつパターン・シーカー）たちの末裔なのだ。

自閉症の子どもが急増している理由

天才的な数学者で、ヘッジファンド「ルネッサンス・テクノロジーズ」の創業者として莫大な富を築いたジェームズ・サイモンズと、計量経済学者である妻マリリン・ホーリスの間には自閉症の娘がいる。スティーブン・ホーキングには自閉症の孫がいるし、イーロン・マスクにも自閉症の子どもがいる。このような例をあげてバロン＝コーエンは、成功にはトレードオフがあると述べる。[32]

シリコンバレーの富豪たちを見ればわかるように、高度化する知識社会では、並外れた論理・数学的知能とイノベーションの能力には巨大な価値がある。だがハイパー・システ

31　サイモン・バロン＝コーエン『ザ・パターン・シーカー　自閉症がいかに人類の発明を促したか』和田秀樹、岡本卓監訳、篠田里佐訳、化学同人
32　バロン＝コーエン『ザ・パターン・シーカー』

ム化した脳タイプをもつ者は、「自閉症の子どもを生み出す可能性が極めて高い」のだ。

アメリカの調査では、自閉症の発症率は一般人口の1～2％だが、もっとも裕福な330家庭のうち27家庭（約8％）に自閉症の子どもがいた。MIT（マサチューセッツ工科大学）の同窓生のあいだでは、自閉症の発症割合は10％にも上ると囁《ささや》かれている。

この話を聞いたバロン＝コーエンは、MITの卒業生にアンケートを送り、自閉症の子どもの割合を調べようとした。同窓会は同意したものの、MITのブランドが傷つくことを恐れた学長命令によって調査は中止になったという。

そこで代わりに、「オランダのシリコンバレー」と呼ばれ、工科大学とハイテク企業のあるアイントホーフェンを対象に調査が行なわれた。1万人あたりの自閉症の子どもの数は、人口が同規模のユトレヒトでは57人、ハーレムでは84人だったが、ハイパー・システマイザーたちが集まるアイントホーフェンでは1万人あたり229人の自閉症の子どもがいた。

これらの調査からバロン＝コーエンは、自閉症の子どもが急増している理由のひとつは同類交配（アソータティブ・メイティング）だと推測している。学歴社会ではシステム化能力に恵まれた者同士が大学やハイテク企業などでますます出会いやすくなり、彼らの間に多くの子どもが誕生する。「高く調整されたシステム化メカニズムは卓越したマインドを生み出すことができるが、さらに高いレベルに達した場合に、学習障害として現われる可能性がある」のだ。

――シリコンバレーの〝不都合な事実〟は、ジェンダー比率が極端に男に偏っていることだが、さらに〝不都合〟なのは、ヨーロッパ系白人（とりわけユダヤ系）とインド系、東アジア系に人種構成が大きく偏っていることだ。これはきわめて政治的に微妙な問題なので、本書でも触れない。

異次元の拷問

イーロン・マスクの特異なキャラクターは、論理・数学的知能が高いというよりも（それだけなら、同程度の知能の者はシリコンバレーにたくさんいるだろう）、その極端なリスク選好にある。

経営者に求められるのは、リスク要因を減らして安定的な利益をあげられる仕組みをつくることだ。しかしマスクがやってきたことはその逆で、スペースXにしても、テスラにしても、橋に火をつけて退路を断ち、自ら「修羅場」に乗り込んで脅迫的なやり方で部下を叱咤《しった》し、周囲からは実現不可能と思われた目標を達成してしまう。「生きている実感」を得られるのは焼けつくようなリスクにさらされたときだけで、事業が安定してくると精神的に不安定になり、うつ傾向が強くなる。

近年のパーソナリティ心理学では、刺激に対する覚醒度は一人ひとり異なると考える。脳には快適に感じる覚醒度のレベルがあり、その基準に対してふだんの覚醒度が低い個体は、覚醒度を上げて快感を得ようとする。逆にふだんの覚醒度が高い個体は、つねに不快感を覚えているから、覚醒度を下げようとするはずだ。このとき、「覚醒度を上げようとする傾向」を外向的、「覚醒度を下げようとする傾向」を内向的という。[33]

このように考えれば、外向的／内向的とは、「欲望へと向かうエンジンの出力の大きさのちがい」ということになる。

外向的だと脳の興奮が足らないので、刺激的な体験を追い求める。レーザーライトが交差する大音響のクラブで踊ったり、パーティで知らないひとと知り合い、ときに逢瀬を楽しんだり、バンジージャンプやスカイダイビングに挑戦したりするのがこのタイプだ（激辛ラーメンを食べたりするかもしれない）。

極端に外向性指数が高いと、手と足のあいだに布を張っただけのウイングスーツで高所から飛び降り、鳥のように飛行する者が現われる。ウイングスーツ・フライングは「世界でもっとも危険なスポーツ」と呼ばれ、死亡率もきわめて高い（インターネットに驚くような動画がたくさんアップされている）。これほどまでに強い刺激を必要とするのは、それだけ（生得的な）覚醒度が低いからで、それを最適レベルに引き上げるにはものすごい刺激が必要になるのだろう。

脳の覚醒度を上げようとする「とてつもなく強力なエンジン」をもっていることに加えて、マスクは（ハイパー・システマイザーの代償として）共感力が低く、部下を無慈悲に解雇することになんの躊躇《ちゅうちょ》もない（さらにはそれを、経営者にとっての必須の能力だと考えている）。それに異常な集中力、軽躁状態（ふだんは躁状態だが、気分の変動が激しく、ときに抑うつ状態に陥る）、強迫神経症的なこだわり、なにがなんでもやりとげる強烈な意志力が加わったと考えると、その特異なキャラクターをうまく理解できるだろう。

こうして、つねに追い立てられているような切迫感に苛《さいな》まれ、どのような成功にも満たされることなく、ひたすら走りつづけなくてはならなくなった。

33　詳しくは拙著『スピリチュアルズ「わたし」の謎』（幻冬舎文庫）を参照。

2021年にマスクは世界一の大富豪になったが、気分の落ち込みが激しく、吐き気と胸やけに悩まされていた。ツイッター買収後にインドネシアで開かれたビジネスサミットでは、「次なるイーロン・マスクになりたいと思う人にアドバイスを」と問われ、「本当に私のようになりたい人がどれほどいるのでしょうか。私は異次元の拷問を自分に科していますから」とこたえた。

高知能の呪い

知識社会では、知能は高ければ高いほどよいと考えられている。これは間違いというわけではないものの、高すぎる知能は発達障害・精神疾患のリスクと背中合わせだ。だが「高知能者」の苦悩はそれだけではない。

濃密な共同体のなかで進化してきたヒトは、自分のアイデンティティを他者や集団と融合させるという驚くべき能力を進化させた。国や宗教などの共同体とアイデンティティ融合すると「ナショナリスト」「宗教原理主義者」になるが、社会がリベラル化するにつれて、その対象が個人に変わってきた。アイドルなどにアイデンティティ融合する近年の現象は「推し活」と呼ばれる。

推し活がなぜこれほど盛り上がるかというと、アイデンティティ融合することで強い幸福感が得られるからだろう。国家への融合が戦争に、宗教への融合がテロに、ホストへの融合が「ホス狂い」につながるように、自分を他者（共同体）と融合させることがつねによい結果をもたらすわけではないが、「熱狂」や「陶酔」をもたらしてくれることはまちがいない。

ところがハイパー・システマイザーは、他者との共感をうまく構築できないのだから、アイデンティティ融合が難しい。仮にそのような能力をもっていても、ふつうのひとが夢中になるものを理解できないだろう。

正規分布では定義上、平均から1標準偏差の範囲に全体の約7割が収まる。大衆社会では大半の娯楽はこの層に向けて提供されるが、そうなると高知能者（IQ145＝偏差値換算で80以上でも700人に1人しかいない）には楽しめるものがほとんどなくなってしまう。

この現象は当事者のあいだで、「高知能の呪い」と呼ばれている。[34] なぜ周囲のひとたち

34　Aaron Clarey "Curse of the High IQ" PaRic Media, LLC

が、野球やサッカー、アメリカンフットボール（あるいはアイドル）などに熱狂するのかわからず、デートをしても相手と話がまったく合わないのなら、人生を楽しむことができるだろうか。

「高知能の呪い」によって、莫大な富や成功はかならずしも幸福に結びつかないが、さらにやっかいなのは、共感力が低く他人の気持ちがわからないからといって、痛みを感じないわけではないことだ。マスクはひといちばい傷つきやすく、X（旧ツイッター）で批判されるとしばしば感情的に反論し、多くのトラブルを引き起こしてきた。

周囲の者がみな反対したにもかかわらず経営不振に苦しむツイッターを買収したのは、「自由な言論空間を守る」という大義名分はあったものの、（本人も認めるように）さびしいからだろう。成功の実感、すなわち「自己実現」をもたらしてくれるのは数十兆円の富ではなく、社会的な評価（1億7000万人のフォロワー）なのだ。

人間は『スタートレック』シリーズのヴァルカン人ミスター・スポックのように、徹頭徹尾、理性的になるように進化してきたわけではない。神経科学者のアントニオ・ダマシオは、理性と情動は対立するのではなく、前頭皮質のうち情動に関する部位（vmPFC）が損傷すると、なにひとつ決められなくなることを発見した（ソマティック・マーカー仮説)[35]。マスクの言動を見ても、高い論理・数学的知能と感情的な言動がけっして矛盾しないとわかるだろう。

「ウォーク」とのたたかい

マスクはもともと政治にさしたる関心がなく、民主党とオバマ大統領を支持していた。だがツイッターを始めるようになって、徐々に「ウォーク(Woke:目覚めた者)」への批判を強めていく。

ウォークは日本でいう「(社会問題に)意識高い系」のことで、人種問題やジェンダー問題などで「ポリティカル・コレクトネス(ポリコレ:政治的正しさ)」の旗を振りかざし、不適切な言動をした者を社会的に抹消(キャンセル)する「キャンセルカルチャー」を主導している(「SJW:Social Justice Warrior=社会正義の戦士」とも呼ばれる)。

ウォークたちは、経済格差こそがすべての社会問題の元凶で、マスクのようなビリオネアは、その富がたとえ正当な方法で(合法的に)得たものであっても、存在そのものが

35 アントニオ・R・ダマシオ『デカルトの誤り 情動、理性、人間の脳』田中三彦訳、ちくま学芸文庫

「不道徳」だとしている。これは全財産を失うリスクをとって（さらには「1日23時間」仕事に没頭して）誰もが不可能だとあざけった事業を成功に導いたマスクにとって、許しがたい侮辱だった。

マスクと最初の妻との子どももゼイヴィアはのちに、女性にジェンダー移行して「ヴィヴィアン」と名乗り、父親を「資本主義者」と批判するようになった。マスクはこれを、「ウォークマインド・ウイルス」に感染したからだと考えているらしい。

決定的なのは、法学者から民主党の上院議員になったエリザベス・ウォーレンにツイッターで「税金を納めていない」と批判されたことで、これに猛反発したマスクはテスラ株のストックオプションを行使して110億ドル（当時の為替レートで約1兆2500億円）を納税し、「（IRS〈米内国歳入庁〉に立ち寄ったら）クッキーでももらえるような気がする」と皮肉った。

マスクのようなIT起業家がリバタリアンなのは、国家の規制や介入のない自由な環境こそがテクノロジーを進歩させることを考えれば当然のことだ。逆にいえば、自由のない世界では「とてつもなく賢い」者たちは自らの才能を活かすことができず、死に絶えてしまう。

リバタリアニズムは国家を最小化し、自由を最大化することを目指すが、現代のリベラリズムは逆に、社会福祉などで国家を最大化しようとする。国家が介入する範囲が広がれば広がるほど、自由の領域は狭まっていく。リバタリアンからすれば、口先で「権力」を批判しながら自由を壊死させようとするリベラルは「国家主義者」なのだ。

ツイッターやフェイスブックは中立な言論プラットフォームを装っているが、リベラル派の投稿を優先し、保守派（右派）の投稿を削除しているのではないかとずっと疑われてきた。マスクは買収後に、これまでの「コンテンツモデレーション（節度ある投稿管理）」のファイルを中立のジャーナリストに開示した。これによって、ツイッターがバイデン政権に忖度《そんたく》し、トランプを支持する投稿を抑制していた事実が明らかになり、保守派の疑惑に一定の根拠があることが示された（ただしこれは、ツイッターの社員の大半が民主党支持者だったからで、ディープステイト＝闇の政府による陰謀ではない）。

〝反ユダヤ投稿〟の「暗号解読」

２０２３年11月15日、イーロン・マスクはXで〝反ユダヤ〟投稿をしたとして炎上し、アップルやＩＢＭなどの大手企業がXへの広告掲載を見合わせ、１０００万ドルを超える損失を被る事態になった。

イスラーム原理主義の武装組織ハマスは、イスラエルに対する大規模テロで幼児や子どもを含む1400人を惨殺、240人あまりを人質としてガザに連れ去った。これに対して、イスラエルはハマスを殲滅《せんめつ》させるとしてガザ地区に容赦ない空爆を行ない、地上部隊はハマス司令部があるとされる病院を占拠した。

この掃討作戦によって連日、多数のガザ市民が犠牲になり、子どもが重傷を負ったり、病院で新生児が死んでいく動画が世界に配信されると、世界各地でイスラエルに戦闘中止を求める抗議行動が起こった。欧米では、ガザの「虐殺」を理由とするユダヤ人へのヘイトクライムも頻発した。

そんななか、「ユダヤ人保守派」を自称するユーザーが、「ネットの匿名性の陰に隠れて〝ヒトラーは正しかった〟と投稿する臆病者」に対して、「面と向かっていってみろ」と挑発した。

すると一人のユーザーが、これに応えて、「ユダヤ人社会は、自分たちに対して使うのをやめるよう求めている主張とまったく同じ〝弁証法的憎悪〟を白人に対して押しつけている」とリプライした。マスクがこれを引用して「君は真実（the actual truth）を述べた」とポストしたことで、その後の〝大炎上〟が引き起こされた。

話の流れからして、反ユダヤ主義者を挑発する投稿に応じたのだから、このユーザーは反ユダヤ主義で、マスクはそれを「真実」だと述べたことになる。これがポリコレのコードに反したとされる理由だが、マスクをキャンセルするには、「弁証法的憎悪（dialectical hatred）」を含む元の投稿が「反ユダヤ主義」であることを証明しなくてはならない。こうして、左派（レフト）による「暗号解読」が行なわれることになった。

それによるとこの投稿は、「ユダヤ人よりも白人が差別されている」と考える「白人至上主義者」によるもので、アメリカ社会はリベラルなユダヤ人によって支配されており、黒人などの有色人種の権利を擁護し、無秩序な移民の流入に反対する白人保守派に対して〝レイシスト（人種主義者）〟という悪意のレッテルを貼り、憎悪を押しつけていると主張している。

さらには近年、欧米の極右（白人至上主義の団体）のあいだで「グレートリプレイスメント（大いなる交代）理論」が大きな影響力をもっているが、ユーザーの投稿はその典型だとされた。この理論を信奉する者たちは、ヨーロッパにはイスラーム圏からの移民が、アメリカには中南米からの移民が押し寄せ、彼らは多産なので、いずれ白人は有色人種に置き換えられ、ギリシア・ローマから連綿とつづく西欧文明は没落する運命にあると恐れている（21世紀版のシュペングラー『西欧の没落』だ）。

このもってまわった解釈がすべて正しいとすると、マスクはこれを「真実」だと認めたのだから、「反ユダヤ主義者」であり「人種主義者」だということになる。だが常識的に考えれば、この投稿はウォークの中核にいるリベラルなユダヤ人の〝偏向〟を指摘したもので、ウォークと対立するマスクがその見解を支持したと解釈するのが妥当だろう。[36]——さすがに当のユダヤ人のなかからも、「この程度で〝反ユダヤ主義〟と糾弾するのは行き過ぎだ」との擁護論が出ている。[37]

社会正義の戦士と表現の自由戦士

日本では、駅のポスターや自治体の広報、新聞広告など不特定多数の者の目に触れる媒体に〝萌え絵〟と呼ばれる、胸などを強調した少女の性的なイラストを使うことがしばしば炎上する。こうした〝女性の（性の）搾取〟を批判するのが（一部の）フェミニストで、この「キャンセル」に対抗するマンガ・アニメ愛好家は「表現の自由戦士」と呼ばれる。

欧米でキャンセルカルチャーを主導する運動家は「社会正義の戦士（ＳＪＷ）」と揶揄《やゆ》さ

れるが、そこから転用されたネットスラングだ。

「言論の自由絶対主義者」を自称し、社会正義を掲げるＳＪＷやウォークとＳＮＳで対立するイーロン・マスクは、日本における「表現の自由戦士」とよく似ている。どちらも左派（レフト）から「差別主義者」のレッテルを貼られ、激しい批判を浴びているが、自分たちは日本国憲法第21条（アメリカなら憲法修正第1条）に定められた言論・表現の自由を守るために、〝自由を抑圧するリベラル〟と闘っていると考えている。

アメリカのリベラルからマスクが「敵」認定されたのは、連邦議会議事堂襲撃事件でツイッターが「永久追放」したトランプのアカウントを、買収後に復活したからだ（さらには、ＦＯＸニュースの元看板司会者タッカー・カールソンによるトランプのインタビューをＸでストリーミング配信した）。トランプは左派（レフト）から、「白人至上主義」「レイシズ

36　マスクは『ニューヨーク・タイムズ』主催のカンファレンスで、Xから広告を引き揚げた企業の経営者（ディズニーのボブ・アイガーなど）を「くたばれ（fuck yourself）」と罵倒する一方で、自身の投稿を「愚かなこと」と謝罪、ユダヤ人に敵対的だとの見方を強く否定した。
37　Michell Goldberg "Why on Earth Are Jewish Leaders Praising Elon Musk?" The New York Times（Nov 20, 2023）

ム」「反ユダヤ主義」「排外主義」「女性差別」「LGBT差別」などなど、あらゆる〝悪〟の象徴と見なされている[38]。

ここで困惑するのは、トランプがアメリカの第45代大統領であり、2024年大統領選挙の共和党候補者争いで独走し、世論調査でもバイデン現大統領と支持率が拮抗していることだ。

「民主主義」でもっとも重要なのは議論であり、対話だとされる。民主的な選挙のために、大統領選の最有力候補の一人が国民に自身の主張や政策を訴える場を提供するのは言論機関の当然の役割だろう。だが現在のアメリカにおいては、トランプを支持するかどうかの「善悪二元論」ですべてが判断されるため、マスクはキャンセルカルチャーの格好の標的になってしまった（あるいは、自ら進んで渦中に飛び込んだ）。

スタンフォード大学のポリコレとたたかう

イーロン・マスクはツイッターに夢中になってからウォークと対立し、リバタリアンを自認するようになったが、ピーター・ティールは中学生の頃からロナルド・レーガンの新聞記事を集め、8年生（中学3年生）の社会の授業でレーガンを支持し、個人の自由を至高のものとするリバタリアンになったとされる。

そんなティールにとって、スタンフォード大学での初年度は落胆することばかりだった。学生寮はいつも馬鹿騒ぎで、じっくり古典を学ぶような雰囲気はまったくなかった。それにもましてティールをいらだたせたのは、80年代の大学キャンパスの雰囲気だった。

当時のアメリカのリベラルな大学では、「文化多元主義（マルチカルチュラリズム）」の名の下に西欧中心主義や植民地主義を批判し、ヨーロッパの哲学や人文科学の伝統を軽視する風潮が広まっていた。そこでティールは、大学2年生のときに、保守派の卒業生らの支援を受けてキャンパス新聞『スタンフォード・レビュー』を創刊し、自ら編集長に就任した。ティールの呼びかけに応じた学生たちは、大学の「左傾化」とPC（ポリコレ）による「言論統制」に対抗する論陣を張った。[39]

38　その後マスクは、極右メディアの創業者で、2012年に26人が死亡した銃乱射事件をデマと主張した「陰謀論者」アレックス・ジョーンズのアカウントを復活して、さらにウォークを挑発した。

39　この当時の文化多元主義に対する保守派の危機感は、哲学者アラン・ブルームの1987年のベストセラー『アメリカン・マインドの終焉　文化と教育の危機』（菅野盾樹訳、みすず書房）によく表われている。

『スタンフォード・レビュー』の編集部に加わった学生のなかに、ティールより2歳下のキース・ラボイスがいた。ティールにつづいてスタンフォードのロースクールに進学したラボイスは、ある日の夜、学生寮の寮長をしていた講師の家の前で「ホモ野郎！（Faggot!）」と叫んだ。「お前はエイズで死ぬんだ。当然の報いを受けろ！」

当然、ヘイト行為として大問題になったが、ラボイスは何年か前、一人の学生が同性愛者への差別を理由にその寮から追い出されたことをあげ、「これは学内の言論の自由の限界についての検証だ」と反論した。問題を複雑にしたのは、ラボイスが（そして、彼の行為を擁護したティールも）ゲイだったことだ。けっきょく、大学は「若気の至り」ということで処理し、ラボイスはハーバードのロースクールに転校した（卒業後、一流法律事務所に採用された）。

学部を卒業する年、ティールは編集長としての最後の号に次のように書いた。[40]

これまで編集者として非常に多くのことを学んできたが、人々に耳を傾けてもらうにはどうすべきか、いまだにわからない……聴く耳をもってもらえたかどうか、いまでもわからずじまいだ。私たちはこれからも、急進派に傾倒する陣営（あなたは本紙を読んでいるくらいだから、おそらくこの部類には入らないだろう）に対抗して、あらゆる場面でみなさんを率いてゆくつもりである。

ティールがつくった〝カルト〟

ウォール街に見切りをつけて、ベンチャーファンドを設立するためにシリコンバレーに戻ってきたティールは、『スタンフォード・レビュー』の後輩、デヴィッド・サックスとともに〝The Diversity Myth（多様性の神話）〟という著作を執筆し、大学におけるポリティカル・コレクトネスと文化多元主義を批判した。この本は保守派の重鎮、アーヴィング・クリストルの推薦を受けて１９９５年にリバタリアン系のシンクタンクから刊行されたが、さしたる話題にはならなかった。

それよりも興味深いのは、大学時代のティールの友人関係が、その後も長く続いていることだ。ティールのはじめての本の共著者になったサックスは、マッキンゼーを辞めてティールが創業したペイパルに参加し、ＣＯＯ（最高業務責任者）になった。「ホモ野郎！」

40　ジョージ・パッカー『綻びゆくアメリカ　歴史の転換点に生きる人々の物語』須川綾子訳、ＮＨＫ出版と叫んだラボイスは、ティールが設立したファウンダーズファンドのパートナーに就任している。

ティールの交友関係は保守派・リバタリアンだけではない。リード・ホフマンは根っからのリベラルで一貫して民主党を支持していたが、大学で同じクラスになったことでティールと親しくなり、ペイパルに参加した（その後、ビジネスパーソン向けのSNS「リンクトイン」を創業した）。2人に共通するのは、とてつもなく賢いことと、子ども時代にいじめられていたことだ。

サックス、ラボイス、ホフマンらは、ティールを中心とする「ペイパルマフィア」のメンバーで、現在もシリコンバレーの投資家として親しい関係が続いている。ティールにとって起業家仲間は「友だち」ではなく「仲間（共謀者）」で、それは排他的な「カルト」でもある。起業のバイブルとされる『ゼロ・トゥ・ワン』で、ティールはこう書いている。[41]

究極の組織のメンバーは、同じ組織のメンバーとしかつるまない。彼らは家族を無視し、外の世界を遮断する。だけど、それと引き換えに強い仲間意識で結ばれ、普通の人が否定するような神秘的な「真実」に到達する。そんな組織はこう呼ばれる——「カルト」。完全な献身を求める文化は外から見ると狂気に映る。悪名高いカルトのほとんどは残忍だったからだ。ジム・ジョーンズもチャールズ・マンソンも最期は悲惨だった。

（略）

（それでも）最高のスタートアップは、究極よりも少しマイルドなカルトと言っていい。いちばんの違いは、カルトは重要な点を間違って盲信しがちだということだ。成功するスタートアップは、外の人が見逃していることを正しく信奉している。

『X-MEN』ではマグニートーが、ミュータントたちを集め「ブラザーフッド」という秘密組織を結成する。それと同じようにティールは、大学時代から意識的に「自分に似た者たち」を集め、〝カルト〟をつくってきたのだ。

他者の欲望を模倣する

「社会正義」を振りかざす左派（レフト）とのたたかいに明け暮れたスタンフォード大学

41　ピーター・ティール、ブレイク・マスターズ『ゼロ・トゥ・ワン　君はゼロから何を生み出せるか』瀧本哲史序文、関美和訳、NHK出版

時代に、ティールが大きな影響を受けたのがフランスの比較文学者ルネ・ジラールだった。ジラールは文学作品に描かれた「欲望」を研究するなかで、それが主人公の内面にあるのではなく、登場人物との関係から生じてくることに気づいた。これを発展させて「わたしたちの欲望は他者の模倣である」とするのが「模倣理論《ミメシス》」だ。

シェイクスピア、セルバンテスからプルースト、ドストエフスキーまで、ヨーロッパ文学を縦横に引用しながらそこに隠された秘密を暴いていくジラールの講義は、どこか密教的（あるいは陰謀論的）で、一部の早熟な学生を虜にしたようだ。しかしティールがジラールの思想をほんとうに理解したのは、法曹の世界で成功するという夢を絶たれ、ウォール街での仕事にも満足できず、「負け犬」として西海岸に戻って来てからのことだった。

ティールはそれまでずっと、競争に勝つことばかり考えてきた。チェスでは全米1位を目指し、地元でもっとも有名な大学に入学し、ロースクールを卒業して法曹のエリートコースである最高裁判事の法務事務官になろうとした。その望みが絶たれたあとは一流弁護士事務所に勤め、次いでクレディスイスのオプショントレーダーになったが、どれも満足することができなかった。そしてようやく、大学、法曹、ウォール街と、自分が他者の欲望を模倣しているだけだと気づいたのだ。

「自分が追い求めた異様に競争の激しい世界は、こういう悪しき社会的理由によるものだったと気づいて、人生の核心が崩れていくような危機を感じた」と、ティールは後年、ジラールの欲望論についての本を書こうとする起業家のインタビューに答えている。「こうした悪い模倣のサイクルにとらわれていた。それに自分のなかに大きな抵抗があった。リバタリアニズムを信奉する者として。模倣理論は、私たちはみな独立した個人であるという考えに反する」[42]

ジラールの理論から、他者の欲望が模倣であることに気づくのは簡単だった。だが、自分の人生もまた「模倣」であることを受け入れることは、プライドの高いティールにとってははるかに困難だった。

ティールはジラールの教えによって、SNSが他者の欲望を模倣したい者たちにとって強力なドラッグになることに気づき、創業したばかりのフェイスブックへの投資を即決できたとされる。50万ドルのエンジェル投資は最終的には10億ドルになり、ティールの伝説に彩りを添えることになった。[43]

42　ルーク・バージス『欲望の見つけ方　お金・恋愛・キャリア』川添節子訳、早川書房

競争よりも独占

イーロン・マスクはシリコンバレーの多くの進歩主義者と同様に、テクノロジーによって「よりよい世界、よりよい未来」が実現できると素直に信じているリベラルだった。それが「リベラル」や「左派（レフト）」から理不尽な（と本人には思える）攻撃を受けるなかで、リバタリアンに〝転向〟した。

それに対してティールは筋金入りのリバタリアンで、それと同時に、ルネ・ジラールの教えによって苦い真実を受け入れた。

これまでの自分の人生は、他者の欲望を模倣しようとする無意味な競争だったと思い知ったティールは、自由な市場での熾烈な競争を熱烈に支持する一方で、起業においては、競争は利益を減らす敗者の戦略以外のなにものでもないと考えるようになる。もっとも大きな利益をもたらすのは独占であり、そのためには協力こそが最適戦略なのだ。

だからこそティールは、コンフィニティ（ペイパル）時代、Xドットコムというライバルが現われ、顧客争奪戦で圧倒できないとわかったとき、経営から身を引いてマスクを合併会社のCEOにする決断ができた。その後、マスクはCEOを解任され、ティールが経営を任されることになるが、この裏切りをマスクが根にもっていないのは、ティールには自分と競争する野心がないことを知っているからだろう（それに対して、テスラの創業者であるマーティン・エバーハードとは、成功の功績をめぐって泥沼の裁判沙汰になっている）。

そんなティールの複雑さがよくわかるエピソードがある。饒舌なマスクとは異なり、ティールはメディアのインタビューをほとんど受けず、自分について語ることはさらに少ないが、その数少ない例外が『ニューヨーク・タイムズ』などに寄稿するジャーナリスト、ジョージ・パッカーによるものだ。

パッカーは全米図書賞を獲得した２０１３年の"The Unwinding: An Inner History of the New America（巻き戻し　新しいアメリカの内なる歴史）"で、オプラ・ウィンフリー（テレビ司会者）、サム・ウォルトン（ウォルマート創業者）、コリン・パウエル（元国務長官）などの大物からサブプライム危機によって深刻な影響を被ったフロリダ州タンパの無名のひとたちまで、さまざまな人物の物語によって１９７８年から２０１２年までのアメ

43　マーク・ザッカーバーグと会った２００４年当時、ティールはすでに大富豪で、50万ドルはささいな投資だった。多くのスタートアップに投資したなかに、たまたまフェイスブックが含まれていたのかもしれない。

リカの変遷を浮き彫りにしようとした（邦訳は『綻びゆくアメリカ』）。ティールはその主要登場人物の一人で、これが自らの半生について率直に語った（おそらく）唯一の記録になった。

死への不安

パッカーの取材当時、ティールはベンチャーキャピタリストとして大きな成功を収めていたものの、シリコンバレー以外ではほとんど知られていなかった。この人物を紹介するにあたって、パッカーは「ピーター・ティールが死について知ったのは三歳のときだった」という言葉から始める。以下の記述はティールを理解するうえできわめて重要なので、全文引用しよう。

一九七一年、クリーヴランドのアパートで家族と暮らしていた彼は、自分の座っている敷物に目をとめた。ピーターは父親に訊ねた。「これは、どこからきたの」「牛だよ」。父は言った。

ふたりはピーターの母語であるドイツ語で話していた——ティール家はドイツ出身で、

ピーターはフランクフルトで生まれた。

「牛はどうなったの」

「死んだんだよ」

「どういうこと？」

「つまり、牛はもう生きていないんだ。すべての生き物は死ぬ。すべての人間もね。いつか私も死ぬ。いつかお前も」

この話をしているとき、父は悲しそうに見えた。ピーターも悲しくなった。この日はひどく不安な一日となり、ピーターは二度とその不安を遠ざけることができなくなった。シリコンバレーの億万長者となってからも、死について思うとどうにも心がかき乱された。四十年のときを経た現在も、最初に味わった衝撃がはっきりと胸に刻まれている。ほとんどの人々は死を無視することで死と和解する術《すべ》を身につけるが、ピーターにはどうしてもそれができなかった。和解とは群衆が何も考えずに運命を受け入れる黙従にすぎない。牛革の敷物に座った少年は成長し、死の必然性をすでに一千億の命を奪った事実としてではなく、イデオロギーとして認識するようになった。（パッカー『綻びゆくアメリカ』）

いうまでもなくこれは、テクノロジーによって老化や死の克服を目指す未来学者レイ・カーツワイルの主張と同じだ（ティールは「不死のテクノロジー」に多額の投資を行なっている）。

イーロン・マスクはあえて常人の限界を超えたリスクに身をさらし、「人類の滅亡に備えて火星への移住を実現する」と楽観的に語るが、ティールの保守思想やリバタリアニズムにより深い陰影があるのは、その背後に死への不安があるからではないのか。この話にはあとでもういちど戻ってくることにしよう。

PART2　クリプト・アナキズム

2011年公開の映画『X‐MEN：ファースト・ジェネレーション』では、1960年代の米ソ冷戦とキューバ危機を背景に、ナチスの強制収容所で母親を殺され、その代償に金属を自在に操る能力を獲得したエリックの復讐が描かれる。そのエリックを見つけ出し、友人になったのがテレパシー能力をもつチャールズ・ゼイヴィア、のちのプロフェッサーXだ。

物語の最後、核ミサイルを運搬する船を護衛するソ連艦隊と、それを阻止すべく封鎖線を張るアメリカ海軍がキューバ海域で一触即発の状態になるなか、チャールズはエリックや仲間たちとともに間一髪で第三次世界大戦の勃発を阻止することができた。だが彼らの恐るべき超能力を目にした米ソの軍幹部は、こんどは協力して一斉にミュータントを攻撃しはじめた。

米ソの艦船から発射された多数のミサイルがチャールズたちのいる孤島に着弾する瞬間、エリックは金属を操る能力によってそれを停止させると、ミサイルの方向を180度回転させる。それを見て、チャールズがエリックに向かって叫ぶ。

「艦上には何千もの善良な兵士がいる。彼らは命令に従っただけだ」

エリックはそれにこう応えた。

「そういう連中が俺を虐げた。許さない（Never again.）」

フランス革命は愚民政

「自由・平等・友愛」の理想を掲げた1789年のフランス革命は啓蒙主義の勝利とされ、隣国イギリスの知識層にも熱狂的に迎えられた。だが政治思想家エドマンド・バークは早くも翌90年に『フランス革命の省察』を世に問い、理性を絶対視した過激な改革を「なにもかも本来の自然な性質を失っている」と痛烈に批判した。

バークはいまでこそ「保守思想の父」と呼ばれるが、当時はインド統治の不正を糾弾し、アメリカの独立を支持した自由主義者として知られていた。そのバークは、行き過ぎた理想主義は伝統的な社会秩序を破壊し、革命は人民の名を借りた独裁と軍の台頭を招くと予言した（ジャコバン派の恐怖政治とナポレオンの登場でその先見の明が証明された）。

バークは『省察』で、そもそも「統治者」としての資格をもつ民衆などどれほどいるのかと問うた。彼はフランス国民議会の「第三身分」である市民を「政治の素人ばかり」だとして、こう書いている。[44]

ずば抜けた例外もみられたにせよ、議会を構成していた人びとは一般に、地方の名もない弁護士や、地方の小さな役場の役人、田舎の代書屋、公証人、そして市町村のさまざまな司法関係者などで、村の瑣末な諍いごとを扇動したり裁定したりすることを常とする人たちでした。わたしは議員名簿を読んだ瞬間、将来のてんまつがまざまざと目に浮かび、じつのところ、ほぼすべてそのとおりになりました。

これは典型的な「愚民政」批判だが、バークは〝無知蒙昧《もうまい》〟な民衆を一方的に貶《おとし》めているわけではない。国民議会を構成する「第一身分」である聖職者議員は「田舎の司祭たち」、「第二身分」である貴族は「歪んだ野心家たち」として、いずれも国政を任せることなどできないと一蹴されている。

このようにバークは、人間の本性を愚かで利己的だと見なしていた。だからこそ共同体を維持するには、伝統によって培われた（憲法のような）制度によるくびきが必要になるのだ。

アナキストの純愛

フランス革命に歓喜するイギリスの知識人に対してエドマンド・バークは、誰もがしょせん愚民なのだから、民衆（デモス）を支配者とするデモクラシーなどうまくいくはずがないと断じた。

それに真っ向から反論したのが、作家で政治思想家でもあるウィリアム・ゴドウィンだった。ゴドウィンはカルヴァン派の牧師の家に生まれ、イギリスの多数派である国教徒から宗教的な差別を受けてきた。この体験から権威に反発するようになったゴドウィンは、ジョン・ロックの古典的自由主義やジャン＝ジャック・ルソーの啓蒙主義などに強く影響され、牧師の職を辞しただけでなく、「信仰は理性に従属すべきである」としてキリスト教を棄教、作家の道に進んだ。

ゴドウィンと同時代のイギリスの作家・哲学者のメアリ・ウルストンクラフトはフェミニストの先駆者の一人で、女は生まれつき男に劣っているのではなく、たんに教育が欠けているだけで、男も女も理性的な存在として対等に扱われるべきだと主張した。そのウルストンクラフトはバークの『省察』に激怒し、ただちに『人間の権利の擁護』と題した政

44 エドマンド・バーク『フランス革命についての省察』二木麻里訳、光文社古典新訳文庫

治パンフレットを書き上げると、共和主義を擁護し、バークの男性中心主義を痛烈に批判した。これが『省察』への最初の反論とされ、その後につづく激しい論戦の皮切りになった。

ウルストンクラフトの著作に強い感銘を受けたゴドウィンは、1793年に大著『政治的正義』を世に問い、絶対的な平等のための私有財産廃止と、絶対的な自由のための国家の廃絶を主張した。[45]

王や貴族（あるいは教会）ではなく民衆（デモス）自身が社会を統治するのがデモクラシーなのだから、民衆の代理人を名乗る者が政府をつくって民衆を支配するのは矛盾以外のなにものでもない。ゴドウィンにとって、国家なき世界はデモクラシーの必然的な帰結だった。代議制を拒否し、王政だけでなく、最大の抑圧装置である国家そのものを拒否するゴドウィンの主張が、西洋思想に現われた最初のアナキズム（無政府主義）とされる。

とはいえゴドウィンは、国家のない社会は「理性的な民衆」を基礎にする以外にないが、そのような民衆は現実には少数にすぎないというバークの指摘を認めざるを得なかった。こうして理想主義者であるゴドウィンは、教育によってひとびとの精神を覚醒させ、才能を伸ばすことができると論じるようになる。[46]

その後、ゴドウィンとウルストンクラフトは恋に落ち、結婚制度の廃絶を求めるラディカルな進歩主義者だったゴドウィンは、ウルストンクラフトの妊娠を機に結婚を決めた（これによって多くの友人を失った）。だが女の子を出産したウルストンクラフトは、産褥《さんじょく》熱によって生命を落としてしまう。

ゴドウィンは、妻であり啓蒙主義の同志でもあったウルストンクラフトの死を嘆き悲しみ、尊敬と愛情を込めた伝記を出版した[47]（このような〝純愛〟は当時は奇妙なものとされ、ゴドウィンは多くの敵をつくった）。

2人のあいだに生まれた（母と同名の）メアリは長じてロマン派詩人のシェリーと結婚し、ゴシック小説の金字塔である『フランケンシュタイン』を書くことになる。科学者の

45　日本ではゴドウィンの『政治的正義』から、私有財産について論じた「財産論」のみが1973年に翻訳されている（白井厚訳、陽樹社）。
46　ウィリアム・ゴドウィン『探究者　アナキズム教育論の源流』片岡徳雄、住岡英毅、山根祥雄訳、黎明書房
47　ウィリアム・ゴドウィン『メアリ・ウルストンクラーフトの思い出　女性解放思想の先駆者』白井厚、白井堯子訳、未来社

フランケンシュタインは、生命の謎を解き明かすという野心にとりつかれ、「怪物」すなわちミュータントをつくりだしたのだ。

人間の本性は愚昧なのか、それとも自らの意志で国家・社会を運営できるほど理性的なのかという、バークとゴドウィンの論争は、その後もかたちを変えて繰り返されることになる。

アナキズム3・0

1864年、「万国の労働者よ、団結せよ!」とのマルクスの呼びかけによって、ロンドンで国際労働者協会(第一インターナショナル)が設立された。71年には普仏戦争の講和に反対するパリ市民が蜂起、世界初の労働者政権パリ＝コミューンが樹立された。だがこの「革命」が臨時政府によってたちまち鎮圧されると、今後の戦略をめぐって第一インターではマルクス派とアナキスト派が激しく対立した。

ロシアの思想家でアナキスト派を主導したバクーニンは、ロンドン(マルクス派)の「独裁」を批判し、各国や各支部による非中央集権的な労働運動を主張した。これに対してマルクスは、バクーニンが夢想する「理性的で自立した労働者」などどこにもおらず、

「前衛政党」の指導なしに無知な労働者をどのように革命に動員できるのかと反論し、アナキスト派を粉砕・追放した。――そしてバクーニンの予言どおり、マルクス主義は共産党の独裁と専制を生んだ。

ゴドウィンは自由を阻害する政府は罪悪であり反自然だとして、「政府のない社会」と「富の平等な分配」を実現するために、徹底した個人主義のデモクラシーを求めた。だが社会運動から「組織」を排除すれば、残るのは烏合《うごう》の衆でしかない。

マルクスとの論争に敗れたあと、ロシアの思想家クロポトキンなどのアナキストは、国家や前衛政党のような中央集権的な組織ではなく、相互扶助的なコミューン（共同体）による無政府共産主義を唱えた。第二次世界大戦が終わると、社会体制を転覆するラディカルな革命の可能性がなくなったイギリスから、労働組合（という中央集権的な組織）を通じて政府のない社会を実現しようとするアナキズムが生まれた。これが「アナルコ・サンディカリズム（無政府組合主義）」だ。

その一方で、フリードリヒ・ハイエクやルートヴィヒ・フォン・ミーゼスなど市場原理を重視するオーストリアの経済学者たちは、市場の「自生的秩序（アダム・スミスの「見えざる手」）」を重視し、ケインズ経済学を政府の介入を正当化するとして強く批判していた。ミルトン・フリードマンらシカゴ大学の経済学者がそれを「新自由主義（ネオリベ）」に発展させ、1980年代のレーガンやサッチャーの経済政策に大きな影響を与えることになる。

経済学者のデイヴィッド・フリードマン（ミルトン・フリードマンの息子）や政治学者のマレー・ロスバードらは、新自由主義をさらに徹底させて、「政府（国家）なしでも経済活動は可能だし、より効率的になる」という新たなアナキズムを唱えた。こちらは資本主義によって国家を廃止しようとするため、「アナルコ・キャピタリズム（無政府資本主義）」と呼ばれたが、そこで想定されている社会変革の主体は株式会社（という中央集権的な組織）だった。

ところがその後、インターネットによって世界中のコンピュータが接続されると、国家・政府はもちろん、組合や企業のような中央集権的組織も不要で、完全な自由を保証された個人のネットワーク（自生的秩序）だけがあればいいとする、より純化したアナキズムが登場する。これが「クリプト・アナキズム（暗号アナキズム）」だ。

無政府主義革命の主体を労働組合などコミューンに求めるアナルコ・サンディカリズムをアナキズム1・0、資本主義と企業によって革命を実現しようとするアナルコ・キャピタリズムをアナキズム2・0とするならば、ネット時代の無政府主義はアナキズム3・0になるだろう。それは2世紀以上も前にゴドウィンが夢想した、いっさいの権威から解放された自由な個人による社会の統治（アナキズム0・0）への回帰でもあった。

サイファーパンク

ビットコインやイーサリアムのようなブロックチェーンを使ったデジタル通貨は日本では「仮想通貨（仮想資産）」と呼ばれるが、英語圏では"cryptocurrency（クリプトカレンシー：暗号通貨）"の呼称が使われる（日本でも「資金決済に関する法律」では「暗号資産」とされている）。暗号通貨（暗号資産）は、たんに「クリプト（crypto）」とも呼ばれる。

"crypt"は聖堂の地下室のことで、"crypto-"とすると「秘密の、隠された」という意味になる。"cryptograph（クリプトグラフ）"は隠されたメッセージ、すなわち「暗号」のことだが、それと同時に"crypto"には、「地下室に集まって陰謀をめぐらす集団」という含意もあった。「クリプト・アナキズム」とは、暗号《クリプト》を使って政府や中央集権的な組織を必要としない社会を実現しようとする"陰謀"的な運動のことだ。

暗号には"cypher（サイファー：平文を暗号化し、それを復号するアルゴリズム）"という単語もあり、ここから「サイファーパンク（cypherpunk）」という言葉が生まれた。1984年にウィリアム・ギブスンが『ニューロマンサー』によって、ヴァーチャル世界を舞台にハッカーが活躍する「サイバーパンク（cyberpunk）」というSFジャンルを打ち立てたが、そこから生まれた造語だ。――クリプト・アナキストはサイファーパンクでもある。

ビットコインなどが“crypto”と呼ばれるのは、ブロックチェーンに追加されたデータの真正性を証明する作業（PoW：プルーフ・オブ・ワーク）に複雑な暗号学上の計算が使われていることもあるが、その背景には、この新しい通貨が「アナキズム3・0」から誕生したことがある。日本ではほとんど理解されていないが、ブロックチェーンやビットコインは、暗号テクノロジーによって個人と個人をつなぎ、中間形態としての組織を不要にしていこうとするクリプト・アナキストたちがつくった社会実験のツールなのだ。

武器としての暗号

「クリプト」たちがなにを考え、どのような社会を目指しているかを知るためには、暗号の歴史を簡単に見ておく必要がある。[48]

クリプト（アナキズム3・0）は、在野の研究者ホイットフィールド・ディフィーが1976年に、暗号化と復号化に異なる鍵（手順）を用いる「公開鍵暗号」を発見したことに始まる。その翌年、3人の数学者が素因数分解を使った公開鍵暗号のアルゴリズムを発表し、このRSA暗号は現在も破られていない（その後、イギリスの諜報機関GCHQ〈政府通信本部〉の研究者が数年早く同じ方法を発見していたことがわかったが、GCHQはこれを秘密扱いにしていた）。

1991年には、やはり在野の研究者フィル・ジマーマンが、RSAを使った公開鍵暗号を誰でも簡単に使えるフリー・プログラム「PGP（Pretty Good Privacy：プリティ・グッド・プライバシー）」を公開した。

ところがアメリカ政府は、諜報機関でも解読できないRSA暗号を武器輸出管理法によって輸出禁止にしていた（そのためジマーマンは刑事告発されることになった）。こうして、アメリカ国内では誰でもPGPをインストールしてメッセージを暗号化し、プライバシーを守ることができるのに、そのフリーウェアをアメリカ国外で配布すると逮捕・収監され

48　以下の記述はスティーブン・レビー『暗号化　プライバシーを救った反乱者たち』（斉藤隆央訳、紀伊國屋書店）、サイモン・シン『暗号解読』（青木薫訳、新潮文庫）より。

るという奇妙な事態が生じた。

リバタリアンにとって政府のこの「暴挙」は、個人を監視する国家の欲望を露骨に示すものだった。そしてこのことは逆に、暗号こそが個人を政府から解放するブレークスルーであることを強く意識させることになった。

政府が国民を管理・統制するためには、個人を単位とする情報（誰がいつなにをしたか）が必要だ。それを暗号によってすべて秘匿してしまえば、政府はなにもできなくなるのだ。

リバタリアンでハッカーでもあるジュリアン・アサンジは、「すべての情報は公開されるべきだ」との信念のもと、暗号によって情報提供者の匿名性を守る内部告発サイト「ウィキリークス」を創設した。この野心的な試みは当初、ケニアにおける虐殺を暴くなどして賞賛を浴びたが、2010年、イラクのバグダッドに駐屯する米軍の情報分析官が持ち出した膨大な機密文書を公開したことで、アメリカ政府から「サイバーテロリスト」と見なされるようになった。[49]

その後、スウェーデンから性的暴行容疑で逮捕状が出され、ロンドンのエクアドル（当時は反米左派政権）大使館に〝亡命〟したものの、19年4月に逮捕された。アメリカはアサンジの引き渡しを要求しているが、重罪が予想されるため、イギリス政府は国内で収監したまま対応を決めかねている。

クリプト・アナキズムの誕生

物理学者のティモシー・メイはインテルの研究者で、「量子論的な現象が半導体チップでの計算に影響する可能性」を研究して、33歳で多額のストック・オプションを手にインテルを退社した。アメリカにおけるリバタリアニズムの「教祖」とされるアイン・ランドの著作に影響を受けたメイは、アメリカ政府の暗号輸出禁止に反対し、「暗号を解放せよ」との主張をネットに載せた。——ロシアに生まれ、革命を逃れてアメリカに渡ったアイン・ランドは、自助・自立のアメリカ的自由主義の熱烈な擁護者となり、『水源』や『肩をすくめるアトラス』などの長編小説で、集産主義的な政府や従順な民衆が高い志をもつ個人(ヒーロー)を抑圧する悲劇を描いて多くのリバタリアンに啓示を与えた[50](奇妙なこ

49 『ガーディアン』特命取材チーム、デヴィッド・リー、ルーク・ハーディング『WikiLeaks ウィキリークス アサンジの戦争』月沢李歌子、島田楓子訳、講談社
50 アイン・ランド『水源』藤森かよこ訳、ビジネス社、同『肩をすくめるアトラス』脇坂あゆみ訳、アトランティス

とに、ランドの小説はアメリカ以外ではほとんど評価されなかった)。

　ネットでメイのことを知って連絡をとってきたエリック・ヒューズは20代の数学者で、「純粋市場経済と自由への闘争を結びつける」ことを目的にしていた。ヒューズにとっての理想は自主自尊の西部開拓時代で、「かつては、地理的な意味での辺境へ行けば、だれにも邪魔されないプライバシーが手に入った」が、「暗号をうまく使えば、今もまた辺境へ行くことが可能だ——しかも永遠に邪魔されはしない」と考えた。

　メイとヒューズに加わったのがジョン・ギルモアで、サン・マイクロシステムズの草創期のプログラマー(社員番号5番)として財をなし、1986年に退社すると、ロータス(ソフトウェア開発)創業者のミッチ・ケイパー、西海岸のヒッピーカルチャーを象徴するロックバンド、グレイトフル・デッドの作詞家ジョン・ペリー・バーローとともに、1990年にデジタル時代の市民的自由を擁護する「電子フロンティア財団(EFF:Electronic Frontier Foundation)」を設立した(1996年の「サイバースペース独立宣言」でバーローは、「わたしたちが築きつつあるグローバルな社会空間(インターネット空間)は、あなたたち(国家・政府)がわたしたちに押しつけようとしている暴政から、本性上独立している」と宣言した)。

メイ、ヒューズ、ギルモアらは、「社会的無責任のためのアマチュア暗号団体」を結成し、1992年9月に招待者のみの「第1回クリプト会議」を開催した。20名ほどが集まったこの会議のために、メイは「暗号《クリプト》アナキスト宣言」を用意した。その最後は、マルクスの『共産党宣言』(「万国の労働者よ、団結せよ!」)をもじって、こう書かれていた。

印刷術が中世のギルドを衰退させ、社会の権力構造まで変革したように、暗号も企業の本質や、商取引に対する政府の干渉のしかたを根本的に変えるだろう。暗号《クリプト》アナーキズムは、新たに成長しつつある情報市場と相まって、文字や画像に翻訳しうるありとあらゆるデータの流動市場を作り上げる。かつて、有刺鉄線のように一見ささいな発明のおかげで、広大な牧場や農場が柵で囲めるようになり、開拓時代の西部で土地と所有権の概念が一変した。まさにこれと同じように、数学の閉鎖的な分野でなされた一見ささいな発明も、知的財産を囲む有刺鉄線を断ち切るワイヤークリッパーになるだろう。

世界中の人々よ、立ち上がれ。君たちを囲む鉄条網以外に何も失うものなどないのだ!(レビー『暗号化』)

ここに「クリプト・アナキズム（サイファーパンク）」が誕生した。

ビットコインの先駆者たち

コンピュータ科学者のデイヴィッド・チャウムは、すでに1980年代にブロックチェーンの原型となる「ボールト・システム」を考案するだけでなく、暗号を使った電子的な貨幣をつくった。“DigiCash（デジキャッシュ）”と名づけられたこの電子貨幣では、銀行が重複のないシリアルナンバーを発行し、それを暗号（ブラインド署名）によって隠すことで、利用者は現金と同様の匿名性を享受しながら、ネット上で取引できるように設計されていた。

ただしデジキャッシュは、貨幣を発行する中央集権的な金融機関を必要としており、さらに発行された電子貨幣の署名はすべてデジキャッシュ社によって確認されなければならなかった。90年代末のITバブルで大きな注目を集めたものの、EC（電子商取引）が本格化すると、クレジットカード番号を暗号化して決済するというより手軽な（技術的にも安易な）方法に対抗できず、1998年に経営破綻し、すでに発行されたデジキャッシュも紙くず（データのゴミ）になった。

この失敗からサイファーパンクたちは（発行主体のない）非中央集権的な通貨の開発を目指し、97年にアダム・バックがプルーフ・オブ・ワーク（PoW）による複製不可能な電子通貨（「暗号学的ハッシュ関数」を活用することから「ハッシュキャッシュ」と名づけた）の構想を発表した。翌98年にはセキュリティ専門家のニック・ザボがPoWを使った「ビットゴールド」を、マイクロソフトのエンジニアだったウェイ・ダイがブロックチェーンによく似た匿名の分散型電子通貨システムb-moneyを発表したが、これらの先駆的な試みは、のちにサトシ・ナカモトの論文で先行研究として紹介されるまで、サイファーパンクのニッチなメーリングリスト以外ではほとんど注目されることはなかった。[51]

プルーフ・オブ・ワーク

ここで、ビットコインなどクリプト（暗号通貨）の根幹にあるPoW（Proof of Work：プルーフ・オブ・ワーク）について説明しておく必要があるだろう。

中央集権的な組織を必要としない通貨の創造は、「信頼が成立しないところで、どのよ

51　ナサニエル・ポッパー『デジタル・ゴールド　ビットコイン、その知られざる物語』土方奈美訳、日本経済新聞出版

うに取引を行なうか」という問いに答えることだ。これは"Trustless（トラストレス：信頼不要）"と呼ばれるが、「信頼から検証へ」と言い換えることができるだろう。

わたしたちが商品と引き換えに差し出された1万円札をそのまま受け取るのは、それが偽札ではないと信用しているからだ。その信用を担保するのが法律で、偽札の使用は重罪なので、ほとんどの者はそんなリスキーなことはしない（だがなかには、高性能のコピー機や印刷機で偽札をつくる者がいるかもしれない）。

それと同様に、1万円札が将来も現在の価値とほぼ同様に流通すること（ハイパーインフレのようなことは起こらないという予想）は、政府に対する信頼に基づいている（だが、政府を無条件に信用することは合理的だろうか）。

ゲーム理論が明らかにしたように、どれほど口先できれいごとをいっていても、「囚人のジレンマ」のような状況になれば、相手にはつねに裏切るインセンティブがある。信頼だけで騙されるリスクを管理しようとすれば、家族や知人のような閉鎖的な空間のなかでのみ取引するしかない。これなら、効果的な報復（村八分あるいはそれ以上の罰則）が可能なので、裏切られることを（それほど）心配する必要はない。

だが、人類が旧石器時代以来、進化の大半で使ってきたであろうこのやり方は、近代以降のグローバル化した社会（他者と頻繁に交流する開かれた社会）では役に立たない。そのため、信頼を担保する強力な中央集権型組織、すなわち宗教や国家が要請されることになった。[52]

それに対してブロックチェーンは、それが正しいデータであることを政府が保証するのではなく、アルゴリズムによって真正性を検証できるようにしている。これによって、取引相手のことをなにも知らなくても、トラブルを心配することなく、ビットコインを受け取ったり支払いに使ったりできる。

この検証が「プルーフ（証明）」で、PoWとは「ワーク（労働）」によって通貨の真正性を検証・証明できるようにする仕組みのことだ。

ブロックチェーンを書き換えられるか？

通貨の真正性を証明し、誰もが安心して使えるようにするもっともシンプルな方法は、金融機関や政府のような中央集権的な組織が、預かった資金の安全や二重払いのようなト

52　ベンジャミン・ホー『信頼の経済学　人類の繁栄を支えるメカニズム』庭田よう子訳、慶應義塾大学出版会

ラブルに責任をもつことだ。これを「PoA（Proof of Authority：プルーフ・オブ・オーソリティ）」すなわち「権威による証明」という。

これはよくできた仕組みだが、根本的な弱点がある。異なる取引ごとに異なる中央集権的な組織が必要になるし、その中央集権的組織が裏切った場合（金融機関が破綻したり、政府がハイパーインフレで通貨の価値を大幅に減価させたとき）、利用者は大損害を被ってしまうのだ。

リバタリアンはそもそも国家を信用していないので、金（ゴールド）のような裏づけなしに政府が発行する通貨（不換紙幣）はものすごく気持ち悪い。そこで国家に依存しない通貨が求められるのだが、そのためには非中央集権的な「プルーフ」が必要になる。

ブロックチェーンは取引を記録した電子的な台帳だが、それを分権的な通貨として流通させるには、管理者なしに正しい記録を1つに確定させなければならない（複数の台帳があると、同じデジタル通貨を複数のユーザーが「自分のものだ」と主張できる）。

そこでビットコインでは、「マイナー」と呼ばれる業者が真正な取引を確定してブロックに加える役割を担うが、そのためには、コンピュータを使って複雑な暗号を解かなくてはならない。もっとも早く暗号を解いた者には、ビットコインが報酬として与えられる。

――マイナー（金鉱掘り）と呼ばれるのは、この過程が、金鉱に殺到し、いちばん最初に金を見つけた者だけが報酬にありつける状況に似ているからだ。

　マイナーはこの計算によって、「ハッシュ」という値を求める。どれだけ速くハッシュ計算できるかを表わすのが「ハッシュパワー」だ。マイナーたちはハッシュ計算に特化したCPUを開発し、多額の電気料金を払って多くのコンピュータを稼働させ、ハッシュパワーを高めることでビットコインの採掘競争に勝とうとする。これが「プルーフ・オブ・ワーク」における「ワーク（労働）」になる。

　この仕組みがすぐれているのは、いちばん長いチェーンだけが「真正」で、それ以外のチェーンにブロックを継ぎ足しても報酬が得られないようになっていることだ。そのためマイナーは、もっとも早くブロックが継ぎ足されたチェーン（金鉱）に集まり、それ以外のチェーンを無視する。

　もちろん、理論的にはこれを打ち破ることは不可能ではない。強力なコンピュータ・パワーをもつ者が、ライバルのマイナーたちを上回るスピードでハッシュ計算し、ブロックを継ぎ足していけばいいのだ。他のマイナーが49個のブロックを接続するとき、単独で51個のブロックを接続できれば、いつかは自分のチェーンが最長になる（すなわち「真正」

なものになる)。これは「51%攻撃(majority attack)」と呼ばれる。

サトシ・ナカモトがほぼ独力でマイニングしていた初期においては、ビットコインへの51%攻撃は容易だっただろうが、現在では(おそらく)不可能とされている。ハッシュパワーの51%を制するにはとてつもないコンピューティング能力と、とてつもない電力が必要だからだが、「悪意ある者」が単独であるとはかぎらない。主要なマイナーが結託すれば、多数派を形成できるだろう。

これが杞憂でないのは、マイニングの難易度が上がるにつれて専門業者以外は参入できなくなっているからだ。複数のマイナーが特定のグループに集まることを「マイニングプール」というが、ビットコインは現在、4つのプールで全体の採掘量の7割を占めている。ただしこれについても、ビットコインで51%攻撃が行なわれた(特定のグループが台帳を書き換えた)と知られたとたん、相場が暴落して無価値になるとの反論がある。マイナーは資産のほとんどをビットコインで保有しているのだから、自ら破滅するようなことをするはずがないというのだ[53]。

主権を個人に分散せよ

米ドルや日本円のような通貨は、それを発行する国家・政府への信用によって成立している。それに対して暗号通貨は、国家を信頼するのではなく、データが正しいことをアルゴリズムによって検証できるようにしている。これによって、取引相手のことをなにひとつ知らなくても、騙される心配なしに電子的な通貨をやり取りできるようになった。

クリプト・アナキストは、取引に信頼が必要なければ、（信頼を保証する）国家など中央集権的な組織が存在する理由もなくなると考える。こうして、ブロックチェーンを使ってあらゆる領域で取引を分散し、非中央集権化する「社会変革」の試みが次々と現われた。これは近年、Web3.0と呼ばれている。

Web1.0はメールのような一対一の関係、Web2.0はアマゾンや楽天市場で買い物するような一（中央集権的組織）対多（消費者）の関係で、Web3.0は非中央集権化されたユーザー同士の多対多の関係だ。

53　主要な「プルーフ」にはPoW以外に、イーサリアムが採用したPoS（Proof of Stake：プルーフ・オブ・ステイク）がある。PoWでは電力消費量の大きさが問題になっているが、PoSは「出資者」が新たなブロックを承認する仕組みによって電力コストを大きく引き下げた。出資者はブロックの承認に「ステイク（賭け）」をしており、悪質なブロックを承認するとその賭け金は没収される。

クリプト・アナキスト（サイファーパンク）の理想世界では、テクノロジーが指数関数的に「加速」することで、いずれ国家や企業のような中央集権的な組織はなくなり、一人ひとりが「自己主権」をもつことになる。「主権（sovereignty）」は神から与えられた権利で、フランス革命ではそれが王から民主国家に移った。そしていま、主権は国家から個人に分散されつつある。

ブロックチェーンを使った暗号通貨の取引では、ユーザーは秘密鍵（公開鍵暗号のパスワード）で自分のウォレットを管理する。同様に「自己主権アイデンティティ（SSI：Self-Sovereign Identity）」では、身分証明やアクセスデータなどのアイデンティティ（個人情報）はブロックチェーンに記録され、それを国家やグローバルテック（プラットフォーマー）のような中央集権的な組織ではなく、ユーザー一人ひとりが管理することになる。これによって、自分についての情報を自分だけが所有する「完全なプライバシー」と、自己主権を好きなように行使できる「完全な自由」が実現するのだ。

だが、光が強ければ強いほど影も濃いように、クリプト・アナキストが描く「明るい未来」には暗い影が差している。

去るべき運命

西洋世界ではじめてアナキズムを唱えたウィリアム・ゴドウィンは200年前に、国家に依存しないデモクラシーが成立するためには、理性的な民衆が前提となることを理解していた。そしていま、ゴドウィンが夢想だにしなかったテクノロジーによって、すべての個人が平等に「主権」をもつことが可能になった。

問題は、非中央集権化されたWeb3.0の世界では、究極の自由を与えられる代償として、誰もが「自分のアイデンティティを適切に管理する」責任を負わなくてはならないことだ。はたしてわたしたちは、「自己主権」を管理できるほど賢いだろうか。――このシステムでは、秘密鍵を紛失してしまえば口座に何億円、何十億円の暗号資産があっても取り戻すことができないし、秘密鍵を奪われて他者にアイデンティティを偽装されるのは自己責任で、何が起きても補償はいっさいない。

クリプト・アナキストであるティモシー・メイは、1994年に発表したサイファーパンクのマニフェスト「サイファーノミコン」で、「私たちの多くははっきりと反民主主義であり、世界じゅうの民主政治と称するものを、暗号化を利用して根底から揺るがしたいと思っている」と宣言した。メイのようなリバタリアンが「反民主主義」なのは、デモクラシーと自由が両立しないと考えているからだ。

メイは国家を前提としたデモクラシーを否定し、暗号技術によって、市民たちがオンラインの利益共同体をつくり、互いに直接関係を結んで、国家とまったく無関係に生きることができる社会（自己主権をもつ自由な市民による真のデモクラシー）を構想した。

だがメイはこのマニフェストで、「クリプト・アナキズムとは、機会を摑むことのできる者、売れるだけの価値のある能力を持つ者の繁栄を意味する」とも書いている。それから十数年たって、イギリスのジャーナリスト、ジェイミー・バートレットがその真意を訊くためにメイを訪ねた。

メイの答えは、バートレットの著書からそのまま引用しよう。[54]

「私たちは、役立たずのごくつぶしの命運が尽きるところを目撃しようとしているんですよ」とメイは冗談めかして言った。「この惑星上の約40億〜50億の人間は、去るべき運命にあります。暗号法は、残りの1パーセントのための安全な世界を作り出そうとしているんです」

『X-MEN』でエリック（マグニートー）は「ブラザーフッド」を結成し、ミュータントが自分らしく生きられる世界をつくろうとした。同様にクリプト・アナキストは、暗号テクノロジーを使いこなし、自己主権を管理できる者たちのための理想世界を目指している。

だがその行き着く先は、途方もない「自由」に耐えられる「1パーセントのマイノリティ」のためだけの世界なのかもしれない。

54　ジェイミー・バートレット『闇（ダーク）ネットの住人たち　デジタル裏社会の内幕』星水裕訳、CCCメディアハウス

PART3

総督府功利主義

ベトナム戦争から屈辱の撤退をしたアメリカは、ミュータントを人類共通の敵として、新たな戦争を始めようとしていた。そのために開発されたのが、AI（人工知能）を搭載した高性能攻撃型ロボット「センチネル」で、センサーによって突然変異の遺伝子の持ち主を発見すると、ただちに〝駆除〟するよう設計されていた。

だが開発者たちは、ミュータントを産むのが人間であることを計算に入れていなかった。ミュータントの絶滅を目的とするセンチネルは、やがてその父親や母親になる人間をも攻撃しはじめた……。

2014年公開の『X-MEN：フューチャー&パスト』では、AI（ロボット兵）によって世界が滅亡の危機に瀕した2023年の未来から、歴史を書き換えて人類を救うべく、X-MENの一人ウルヴァリン（ローガン）が1973年の世界に送り込まれる。

機械による「不死」

1960年代のロジャー・ゼラズニイのSF小説『光の王』では、人類が科学技術を駆使して神に近い存在となった未来が描かれた。そのような世界を実現するには、テクノロジーの進歩を「加速」させなければならない。

「エクストロピアン」は代表的な加速主義者で、エントロピーの法則（エネルギーや物質は不可逆的に秩序が崩壊して散逸する）からの離脱を目指している。「トランスヒューマニスト（超人主義者）」ともいわれ、人間の能力を機械によって拡張するだけでなく、その究極の目標は「不死」の実現だ（エントロピーの法則は死の不可避性を象徴している）。

不死を手に入れる方法として期待を集めているのが、（脳以外の）身体を機械（バイオテクノロジーでつくられた人工内臓などを含む）に置き換えていく「サイボーグ化」と、脳のデータを超高性能のコンピュータにアップロードする「全脳エミュレーション」だ。[55]

トランスヒューマニストは、「生き物も機械も、情報という観点から見れば同じ理論で説明できる」と考える。そこでは脳は、コンピュータより少々複雑ではあるものの、入力と出力のフィードバックループにすぎない。〝わたし〟とは「自己の活動を伝え、それによってさらに生成されるデータを伝える、読み取り可能な事実と統計数字の集合」なのだ。[56]

55　ロビン・ハンソン『全脳エミュレーションの時代』小坂恵理訳、NTT出版、渡辺正峰『脳の意識　機械の意識　脳神経科学の挑戦』中公新書

56　マーク・オコネル『トランスヒューマニズム　人間強化の欲望から不死の夢まで』松浦俊輔訳、作品社

より現実的な不死の戦略としては、平均寿命を老化よりも早いスピードで延ばしていく「長寿化」がある。ロケット工学では、地球の引力を振り切って圏外に脱出できる速さを「地球脱出速度」という。それと同様に、長寿研究の進歩によって、1年経過するごとに平均寿命を1年以上延ばすことができれば、わたしたちは永遠に生きることができる。これが「寿命脱出速度」だ。

もちろん、動物としての肉体を維持したまま何百年、何千年と生きつづけるのは非現実的だ。だからトランスヒューマニストは、長寿化で時間稼ぎをしているあいだにテクノロジーが加速度的に進化し、とてつもないイノベーションが起きて、生命と機械が一体になる「サイボーグ」の未来が到来することを夢見ている。

トランスジェンダーは、生物学的な身体と性自認（ジェンダー・アイデンティティ）が異なることで、「間違った性に囚われている」という強い違和感に苦しめられている。それと同様にトランスヒューマニストは、「死すべき肉体という過ち」に囚われてしまったと感じている。

よく知られているように、未来学者のレイ・カーツワイルは、「われわれの生物としての思考と存在が、みずからの作りだしたテクノロジーと融合する臨界点」であるシンギュラリティ（技術的特異点）の到来を予言している。トランスヒューマニストであるカーツワイルにとって死は「技術的問題」であり、テクノロジーによって解決できる課題にすぎない。[57]

死を「一時停止」させるビジネス

トランスヒューマニストの最大の敵は、死を漫然と受容するイデオロギー、すなわち「デスイズム（死自然主義）」だ。

イギリスの未来学者マックス・モアはこのデスイズムとたたかうために、「アルコー生命延長財団」を運営している。この財団はアリゾナ州の施設で契約者の身体（遺体）を冷凍保存し、人間が機械に置き換えられる日を待つ。その価格は、身体全体を「一時停止」させる場合は20万ドル、頭部だけを切断して保存する「神経プラン」で8万ドルだ。[58]

アルコーに冷凍保存されているのは2021年時点で182人、そのうち116人は頭

57　レイ・カーツワイル『ポスト・ヒューマン誕生　コンピュータが人類の知性を超えるとき』井上健監訳、小野木明恵、野中香方子、福田実訳、NHK出版

58　オコネル『トランスヒューマニズム』

部のみの保存で、それ以外に80頭あまりの動物（ペット）が保存されているという。もっとも著名なのは大リーグで三冠王を2度獲得した名選手テッド・ウィリアムズで、2002年に冷凍保存された。――ウィリアムズの長女は火葬を、長男は遺言どおり冷凍保存を主張したことで裁判になり、頭部を冷凍保存、胴体以下を火葬することで和解した。

アルコーの創始者であるマックス・モアは本名をマックス・オコナーといい、「もっと生命を、もっと知能を、もっと自由を」の意味を込めて苗字を“More”に変えた。

イングランド南西部の港町ブリストルで育ったモアは、「宇宙に魅せられ、他の惑星に移住するという考えに魅せられた」子どもだった。5歳のときにアポロ11号の月着陸を見てから、地球を離れるという考え方そのものが好きになったという。

ブリストルの本屋や図書館のSFコーナーに入り浸り、スーパーヒーローのコミックを読みふけったモアは、そのなかでもスタン・リーの『アイアンマン』シリーズに大きな影響を受けた。「技術で強化した人体という魅惑の世界」が描かれていたからだ。

10歳か11歳になる頃には、人間強化に対する関心から、薔薇十字団のオカルトに手を出し、13歳になる頃にはユダヤ神秘思想のカバラに関心が移った。高校では超越瞑想を受講したが、ミドルティーンになると秘儀的なことからは遠ざかり、ロバート・シェイ、ロバート・A・ウィルスンの〝陰謀冒険小説〟『イルミナティ』によってリバタリアニズムと出会う[59]。

その後、「リバタリアン同盟」というグループを通じて、宇宙への移住や人間の知能の強化に関心を広げる面々と仲よくなった。冷凍保存術は、この新たに知り合った仲間内では人気の話題だった。

1987年にオックスフォード大学を卒業したモアは、ロサンゼルスに移って南カリフォルニア大学の博士課程に入った。博士論文では、死の本質と、時間を通じての自己の連続性を探った。大学で知り合ったリバタリアン仲間と雑誌『エクストロピー　トランスヒューマニズム思想ジャーナル』を創刊、エクストロピー協会という非営利団体を設立してもいる。

モアの経歴は、コミックやSFを通じた宇宙への関心、リバタリアニズムへの傾倒など、イーロン・マスクやピーター・ティールとよく似ている。ティールは3歳で父から死について教えられたが、モアも5歳で死を意識したという。ティールは死後、自分の身体を冷

59　シェイとウィルスンの『イルミナティ』シリーズ三部作は、『ピラミッドからのぞく目』『黄金の林檎』『リヴァイアサン襲来』（小川隆訳、集英社文庫）として翻訳されている。

凍保存するようアルコー財団と契約している。

死の超克にとりつかれているテクノ・リバタリアンはティールやモアだけではない。生命延長は、グーグル創業者であるラリー・ペイジとセルゲイ・ブリンにとっても長年の関心事で、人間の寿命を500歳まで延ばすことが可能だと唱えるベンチャー投資家ビル・マリスの主導でバイオテクノロジーの研究に多額の投資を行ない、2013年には老化とたたかうことを目標にした医療ベンチャー、キャリコを設立した。

「死」を回避したいという究極の欲望

わたしたちの直接の祖先であるホモ・サピエンスは、約10万年前のアフリカや中東で死者の埋葬を行なっていた。「死すべき運命（mortality）」を意識して以来、人類はずっと「不死」を夢見てきたが、これまで誰一人として「動物」としての運命から逃れることはできなかった。だが強大なテクノロジーを手にしたいま、「生き物」の限界を超えて死を克服できると考える者たちが現われた。

トランスヒューマニストはほぼ全員が白人の男性で、高い知能を持ち、子どもの頃にSFやアニメ、ファンタジー小説にはまり、「死」や「終末」に対する底知れぬ不安に苛《さいな》まれている。

だが、トランスヒューマニストはたんなる奇矯《ききょう》な者たちではない。異端の文化人類学者アーネスト・ベッカーは1970年代に、人類の歴史や個人の人生の根底にあるのは、「死」を回避したいという強烈な欲望（あるいは恐怖）だと唱えた。[60]

ベッカーによれば、あらゆる宗教が「死」について語っているのは偶然ではない。「死すべき運命」への恐怖、あるいは「永遠の生」への憧れから、わたしたちの祖先はそのときどきの文化や科学技術の水準によって、死に対処するさまざまな物語や儀式を生み出し、ピラミッド、教会、寺院、モスクなどの巨大建造物をつくってきた。

ベッカーの理論はフロイト主義的（生への欲望であるエロスの対極にある、死への欲望タナトス）だとしてアカデミズムではずっと無視されてきたが、1980年代に若手の心理学者によって再発見された。彼らは実験心理学の手法を使って、わたしたちが「死の恐怖」に強く影響されていることを繰り返し証明した。[61]

60　アーネスト・ベッカー『死の拒絶』今防人訳、平凡社
61　シェルドン・ソロモン、ジェフ・グリーンバーグ、トム・ピジンスキー『なぜ保守化し、感情的な選択をしてしまうのか　人間の心の芯に巣くう虫』大田直子訳、インターシフト

よく知られているのが、売春婦に科す保釈金を決定する判事を被験者にした実験だ。判事は偶然を装った同僚から、決定の前に性格質問票に答えるよう求められる。そこにはダミーの質問に混じって、「倫理態度性格調査」の名目で死を思い起こさせる設問が含まれていた。

「自分自身の死を考えたとき、心のうちに生じる感情を簡潔に説明してください」との質問に、ある判事は「あまり考えていないが、私がいなくなってさみしい思いをする家族のためにとても悲しい気持ちになると思う」と答えた。

「あなたの肉体が死ぬとき、そしてあなたが肉体的に死んだ状態になったとき、自分に何が起きると思うか、できるだけ具体的に書き出してください」との質問には、「痛みのトンネルに入ったあと、光のなかへと解き放たれると思う。体は埋められ、やがて地中で腐るが、私の魂は天国に昇り、そこで救い主に会うことがわかる」と書いた。

存在脅威管理理論

そのあと判事は、昨夜逮捕された25歳の売春婦（ショートパンツにハイヒール、ホルタートップ姿で街角に立って客を誘っていた）の保釈金を決めた。この種の違反に対する保釈金の標準は50ドルで、質問表に記入しなかった判事たち（対照群）の平均的な保釈金額でもあった。

だが2つの質問に回答した判事たちは、平均で455ドルと、標準的な金額の9倍以上の罰金を科した。これはものすごく大きなちがいだが、なぜそんな高額の保釈金にしたのかを訊いても判事たちは答えられなかった（両者のちがいは、死を意識させる質問に答えたかどうかだけだ）。

存在脅威管理理論は、平穏な日常生活を送るために、わたしたちはなんとかして「死の恐怖（存在脅威）」を抑え込み、管理しなければならないとする。そんな安全装置のひとつが、自分たちは道徳世界に包摂され、守られているという安心感だ。

だがときに、幾重にもつくられた厳重なガードを破って死の恐怖が噴き出してくる。自らの「死すべき運命」を想起させられ、存在脅威にさらされた判事にとって、売春はもはや軽犯罪ではなく、（死から守ってくれる）道徳世界に対する重大な侵犯になった。だからこそ、もういちど「象徴的不死」を手に入れるために、無意識のうちに、「脅威」となった売春婦に重い罰を科さなくてはならなかったのだ。[62]

わたしたちはふだん、「死」に対する不安を意識することはない。だがきわめて聡明で早熟な者たちは、その不安や恐怖を子ども時代に感じ取ることができるようだ。そのように考えれば、死後の身体を冷凍保存するのは、古代エジプトで行なわれたミイラと同じだとわかるだろう。トランスヒューマニズムは、人類が営々と行なってきた「死の恐怖」から逃れる努力の、もっとも新しい表現型なのだ。

これまで、人類が死という理不尽な運命に対処する方法は宗教（神）しかなかった。それが科学とテクノロジーによって代替できるなら、宗教の意味はなくなる。トランスヒューマニズムの時代には、ひとびとはもはや神を信ずることはなくなり、その代わり「技術時代の宗教を超えた宗教」すなわちトランスレリジョン（超宗教）を崇《あが》めることになるのかもしれない。[63]

同性愛を暴くことは「言論の自由」か

ゴーカー・メディアは2002年にニコラス・デントンによって設立されたネットメディアの草分けで、テクノロジー情報の「ギズモード」などさまざまなブログを展開してインターネット時代のサブカルチャーを牽引した。「ゴーカー（Gawker.com）」はそんなメディア群のひとつで、有名人のゴシップを載せることでアクセスを集めていたが、プロレスラー、ハルク・ホーガンが知人の妻とセックスしているビデオの一部を掲載したことで深刻なトラブルに巻き込まれた。

ホーガンはゴーカーによってプライバシーを侵害され、精神的苦痛を受けたとして提訴、2016年に陪審員はゴーカーに対し、1億4000万ドルという巨額の賠償金を科す判決を下した。最終的にホーガンに3100万ドルを支払うことで和解し、控訴は取り下げられたが、これによってゴーカーは破綻した。

この事件が大きな注目を集めたのは、ピーター・ティールがホーガンらの訴訟費用として1000万ドルを支払ったことを認めたからだ。ゴーカーは2007年の記事でティー

62　脇本竜太郎『存在脅威管理理論への誘い　人は死の運命にいかに立ち向かうのか』サイエンス社、同『なぜ人は困った考えや行動にとらわれるのか？　存在脅威管理理論から読み解く人間と社会』ちとせプレス

63　進化論では、生き物であるヒト（利己的な遺伝子）は生殖と生存に最適化するよう進化したと考える。それに対してベッカーは『死の拒絶』で、生殖や生存は近接要因であり、人間が意識をもったことで、「死の恐怖」から逃れようとする無意識の衝動が究極要因になり、個人の言動から文化・社会まで、あらゆるところに強い影響を及ぼしていると主張した。本書では詳述できないので、これまでの常識を覆すベッカーの存在脅威管理理論についてはあらためて論じてみたい。

ルが同性愛者であることを暴露しており、ホーガンの訴訟への支援はこれに対する報復だとされた（ちなみに、ゴーカーの創業者であるデントンも同性愛者で、ティールとは知り合いだった）[64]。

ティールはスタンフォード大学時代から、言論・表現の自由を「抑圧」する左派（レフト）のポリティカル・コレクトネスとたたかってきた。それにもかかわらず、カネのちからで（ゴシップ）メディアを容赦なく破滅に追い込んだことで、ダブルスタンダードだと強く批判されることになった[65]。

これに対してティールは、「言論の自由を守るためにはプライバシーが必要だ」と反論した。自分たちと異なる政治的主張をする相手に対して、性的指向や出自などのプライバシーを暴いて批判することはリベラルな社会では認められていない。だとしたら、同性愛者であることを暴露されたティールの抗議も正当なものだとするしかない。

その一方で、ゴーカー事件でのティールへの反発は、「大富豪はカネのちからでなんでもできるのか」ということだろう。巨額の訴訟費用を覚悟しなければならないのでは、特定の人物や団体に対しては、いっさい批判ができなくなるとの主張にも相応の説得力がある。

しかしこれに対しても、法治国家である以上、訴訟を起こすのは市民の権利で、メディアは裁判で勝てるだけの材料を集めて記事にすべきだとの「正論」が返ってくるだろう。こうして議論は膠着《こうちゃく》状態に陥り、容易に決着がつきそうもない。

リバタリアンが設立した防衛企業

2001年9月11日にニューヨークのワールドトレードセンターなどを標的とするアルカイダの同時多発テロが起きると、03年にティールは情報分析企業パランティアを設立した。「ゴッサム」[66]「メトロポリス」「アポロ」などと名づけられた同社の製品は、米国防省やNSA（アメリカ国家安全保障局）などの諜報機関に対して、「社会や組織を監視し、テロの兆候をとらえて早期に警告する高度な監視システム」を提供している。

---

64 David Margolick "Nick Denton, Peter Thiel, and the Plot to Murder Gawker" Vanity Fair (Nov 6, 2016)

65 Netflix配信のドキュメンタリー『メディアが沈黙する日』は、ティールが「自由な報道」を奪おうとしていると告発した。

66 これは『バットマン』の「ゴッサム・シティ」からとられたのだろう。

また2017年にティールは、AIを搭載したドローンなどの軍事技術を開発する「アンドゥリル」に自身のファンドを通じて多額の投資をした。同社のホームページによれば、"Fury（フュリー：ギリシア神話の復讐の女神）"と名づけられた攻撃型ドローンや"Ghost（ゴースト）"という偵察用ドローン、水中用探査機"Dive-LD（ダイブ-LD）"などの軍事兵器はいずれも人工知能によって自律走行し、「人間の能力を超えた規模と速度」で作戦を実行するとされる。

これらの企業にティールが深くかかわっていることは、その社名からも明らかだ。ティールは子どもの頃からトールキンの『指輪物語』を偏愛しているが、パランティアはこの物語に出てくる「遠くから世界を見ることができる魔法の石」、アンドゥリルはアラゴルン王の剣の名で、エルフ語で「西の炎」を意味する。

国家や政府のような「中央集権的な組織」を否定するリバタリアンであるにもかかわらず、ジョージ・オーウェルが『1984』で描いたビッグブラザーを思わせる監視テクノロジーを開発しているとの批判に対してパランティアは、自分たちが「プライバシーと治安のゼロサム・ゲーム」を書き換える企業であり、「私たちは政府の干渉から守られ、しかも私たち全員が、一人ひとりちがう存在でいられる場所を確保しなければなりません」

と反論している。

ティールによれば、安全が保証されてこそ、はじめて自由が手に入る。だからこそ、「アメリカの自由と安全」を守るためにテクノロジーを活用し、市民に対する危害を未然に防がなくてはならないのだ。

すぐにわかるように、この論理は「ゴーカー事件」での、「プライバシーが守られていなければ言論の自由は成り立たない」という主張と同じだ。徹底したリアリストであるティールは、自由にはそれを支える土台が必要だと考える。ゴシップメディアを叩きつぶすのも、国民の税金から多額の資金を受け取る防衛企業を設立するのも、彼にとっては「自由を守るためのたたかい」なのだ。

暗黒啓蒙

ピーター・ティールはしばしば、「新反動主義（Neoreactionaryism）」とされる。リベラルな啓蒙主義（Enlightenment）へのアンチテーゼで、「暗黒啓蒙（Dark Enlightenment：ダーク・エンライトメント）」とも呼ばれる。[67]

暗黒啓蒙の主要な論者はアメリカのブロガー、カーティス・ヤーヴィンとイギリスの哲学者ニック・ランドで、自由主義と民主政（デモクラシー）は両立できないと主張する。[68]ヤーヴィンはさらに、資本主義と民主政も両立しないとして、数千、あるいは数万の小国家が企業のように運営される体制を構想する。

アナルコ・キャピタリズムでは、国家を廃絶したあとに企業を中心とした社会が構築されるが、ヤーヴィンは小国家（ネオステート）が企業と一体化し、それぞれがCEO（最高経営責任者）によって統治される世界を理想とする。これはプロイセンの富国強兵の政治思想・官房学（Cameralism）とよく似ていることから、新官房学（Neocameralism：ネオカメラリズム）とも呼ばれる。

ヤーヴィンやランドは自由を至上の価値とするリバタリアンであり、テクノロジーによる社会改革を目指す加速主義者だが、その一方でトランプを支持することから、オルタナ右翼や白人至上主義との関係が疑われている。その思想はトランプ政権の首席戦略官を務めたスティーブ・バノンとも似ており、これが「反動主義」とされる理由だろう。

ティールもまた、自由主義や資本主義が民主政のもとで繁栄できるかを疑っていることは間違いない。だが暗黒啓蒙というおどろおどろしい名称は、たんに「リベラル」の価値観と合致しない者に悪意あるレッテルを貼っているだけで、エドマンド・バークをはじめとして、リベラリズムには「民主主義」に対する長い懐疑の伝統がある。[69]

加速主義者であるテクノ・リバタリアンを「反動」と呼ぶのは、それ以上に奇妙な定義矛盾だ。いうまでもなく、テクノロジーによって社会を変えていこうとする運動は、反動（復古主義）の対極にある。

ここで44ページの図2に戻ってみよう。ここでは、すべての政治思想の根底には「安全」があり、リバタリアンは残る5つの道徳的価値から「自由」のみを優先する立場だった。

それに対してアナキズムは、自身が奉ずる原理のためなら、安全を含むすべての道徳的価値を放棄する立場だと見なせるだろう。左派のアナキストは暴力革命によって国家と私

67　木澤佐登志『ニック・ランドと新反動主義　現代世界を覆う〈ダーク〉な思想』星海社新書
68　ニック・ランド『暗黒の啓蒙書』木澤佐登志序文、五井健太郎訳、講談社
69　デモクラシーが神聖化されたのは、アメリカが第二次世界大戦を「リベラルデモクラシーの勝利」と宣伝してからで、チャーチルの有名な言葉（「デモクラシーは最悪の政治形態といわれてきた。他に試みられたあらゆる形態を除けば」）が示すように、リベラリストは一貫して「民衆（デモス）の統治」に懐疑的だった。

的所有権を廃止しようとし、右派のアナキストは神や国家（カリスマ）が支配する社会を夢見たが、安全な社会をつくろうとしたわけではない。それと同様にクリプト・アナキスト（原理主義的なリバタリアン）は、究極の自由を手にするためには、自分や家族の安全は自らの手で守らなければならないと考えている。

だがこの極端な理想論は、西部開拓時代ならいざ知らず、テロリストが旅客機を乗っ取って高層ビルに突っ込んだり、高性能のライフルや重機関銃で市民を襲撃する現実にはまったく対応できない。

だからこそティールは、自由に生きるためにこそ、わたしたちは効率的に監視されなければならないと主張する。国家による監視を嫌うクリプト・アナキストは、この論理をぜったいに認めないだろうが、「安全」と「自由」のバランスを取ろうとすることがリバタリアニズムと矛盾するわけではない。――当たり前だが、死んでしまったのでは自由に生きることなどできない。

このようにして、「自由」を至上のものとするリバタリアンは2つに引き裂かれる。一方は無政府主義（クリプト・アナキズム）で、もう一方を本書では「総督府功利主義」と呼ぶことにしよう。両者は一卵性双生児のようによく似ているが、監視社会をめぐって真っ向から対立することになる。

「トロッコ問題」のシンプルな解決

法政治学者の安藤馨《かおる》は修士論文をもとにした『統治と功利』において、功利主義を個人道徳として考えるのではなく、統治理論と見なすべきだという刺激的な主張をしている。[70]

安藤は、「一般人を排除した、統治者のみにしか関係がない」功利主義を「総督府功利主義」（あるいは「統治功利主義」）と呼ぶ。倫理学や道徳哲学はこれまで、個人の選択や行動を論じてきた（『君たちはどう生きるか』）。それに対して安藤は、（個人は自由に生きればよいのだから）論ずべきは個人の道徳ではなく、統治者の功利性だという。

これを私なりに翻案して、トロッコ問題で説明してみよう。トロッコ問題には、よく知られた以下の2つのヴァージョンがある。

猛スピードで線路を走っていたトロッコが制御不能になり、このままでは前方で作業

70　安藤馨『統治と功利　功利主義リベラリズムの擁護』勁草書房

中の5人が轢《ひ》き殺されてしまう。

【ヴァージョン1】

このときたまたま、あなたは線路の分岐器のすぐ側にいた。あなたがトロッコの進路を切り替えれば5人の作業員は助かるが、切り替えた線路にも1人の作業員がいる。このときあなたは、1人を犠牲にして5人を救うべきか？

【ヴァージョン2】

このときたまたま、あなたは線路の上の歩道橋におり、横に太った男がいた。その男を線路に突き落とせばトロッコは止まり、5人の作業員は助かる。このときあなたは、太った男を犠牲にして5人を救うべきか。

このトロッコ問題には膨大な議論があり正解はないが、「ヴァージョン1」では分岐器でトロッコの進路を切り替えて5人を救い、「ヴァージョン2」では太った男を突き落とすのを躊躇するというのが、多くのひとの選択になる。だがこれは、論理的に矛盾している。どちらも「1人の犠牲で5人を救うことは道徳的に正しいか」という問題なのだから、分岐器を操作して5人の作業員を救うのなら、歩道橋にいる太った男を突き落とさなければば論理は一貫しない。

このような混乱が起きるのは、トロッコの進路の切り替えは間接的で、理性的に考えることができるのに対し、太った男を突き落とすのは直接的で、強い嫌悪感が先に立つからだ（このことは脳科学的にも確認されている）[71]。

だが総督府功利主義では、このトロッコ問題は簡単に解決できる。社会・共同体の幸福（功利）を最大化する総督府が、こうした事態でどうするかのルールを定めておけばいいのだ。あなたが鉄道局の職員で、「いかなる場合でもより少ない犠牲でより多くの生命を救え」というルールに従うのなら、たまたま歩道橋にいた（なんの罪もない）太った男を線路に突き落とすのに、なんら道徳的葛藤をする必要はない。

あなたは職務としてその男を突き落とし、5人の作業員を救うだろうが、その行為はほめられることも、批判されることもない。太った男の遺族には総督府から規定の賠償金が支払われ、その金額が不満なら遺族は裁判で総督府を訴えることもできるだろうが、これは行政手続きなので個人的な道徳とは無関係だ。総督府が功利的であれば、あなたはもは

71　ジョシュア・グリーン『モラル・トライブズ　共存の道徳哲学へ』竹田円訳、岩波書店

や「トロッコ問題」に悩まされることはない。

監視によって人格は不要になる

安藤は『統治と功利』で、功利主義的な総督府にとって、統治は費用対効果（コスパ）の問題だと述べている。

統治のコストが高い場合、総督府は大雑把な統治以上のことはできない。その典型が家父長制で、社会をイエ単位で統治し、家庭のことはすべて家父長に任せることで、統治コストを引き下げている。「家族の問題に介入しない」という近代国家の原則は、統治管理の制約から必然的に生まれたものだ。

ところがその後、コンピュータのような電子機器の導入や通信の整備などで統治コストが下がると、イエではなく個人（人格）単位で社会を統治することが可能になった。こうしてドメスティック・バイオレンス（DV）や子どもへの虐待が可視化され社会問題になるのだが、この「リベラル化」は、政府がテクノロジーによって市民をより効率的に管理できるようになったことが背景にある。

それでは、「統治技術がさらに高度化したらどうなるのか」と安藤は問う。たとえば総督府は、一人ひとりの市民の功利をリアルタイムで把握し、必要なときに必要なものを提供するようになるかもしれない。ナノロボットが体内を循環して生体データを収集し、その情報を総督府のサーバーに送ることで、最適な栄養がとれる食事が最適な時間に配達されてくるような未来を考えればいいだろう。

安藤は、総督府が市民のすべてのニーズを満たすようになれば、「人格」は不要になるという。人格とは、過去から未来にむかって「わたし」の同一性（アイデンティティ）が保たれることだが、それは将来の望みをかなえるために、目の前の欲望をがまんしなくてはならないからだ（異時点間の欲求の非整合性）。だが、生活のすべてにおいて、いまの欲望がいまかなえられるのなら、将来の自分に配慮する必要はなくなる。そのような未来では、わたしたちは「人格」を捨て去り、刹那的に生きるようになるだろう。

「一人ひとりのニーズに合わせた統治」はどのようにして可能になるのか。それはもちろん、徹底した「監視」だ。ここから安藤は、「功利性に満ちた監視社会がもし可能であるならば、統治功利主義がそれを退ける理由はない」と述べる。総督府功利主義には、ピーター・ティールが設立したパランティア（遠くを見る石）のようなテクノロジーによる監視システムが必要不可欠なのだ。

総督府功利主義が完成すれば、ひとびとは羊の群れのように管理される一方で、「幸福」に暮らすことができるようになるだろう。[72] それればかりか、誰もが「自由」な人生を送るレッセフェール（自由放任主義）が実現するかもしれない。なぜなら、国民が自由気ままに振る舞うことで社会全体の功利が最大化されるようなアーキテクチャ（社会構造）を総督府が設計するから。

これまでの経済学は市場参加者が経済合理的な「エコン」であることを前提としてきたが、行動経済学は人間が不合理（あるいは限定合理的）な「ヒューマン」であることをさまざまな実験で証明した。

ナッジ（nudge）は「そっと肘で押す」が原義で、行動経済学の実験から得た知見（脳の癖）を利用して、ひとびとをよりよい選択・行動に（気づかれないように）誘導することをいう。このとき、主観的な自由の感覚はなんら損なわれていないから（ひとびとは操られていることを知らない）、これは「リバタリアン・パターナリズム（おせっかいな自由主義）」ともいわれる。[73]

アナキズムは「中央集権的な組織を必要としない自由」を目指すが、総督府功利主義では「中央集権的な組織による自由」が実現する。このどちらもがリバタリアニズムだと考えれば、政府を批判しながら監視システムを構築するピーター・ティールの一見矛盾した行動が理解できるだろう。

リベラルな監視社会

マサチューセッツ工科大学（MIT）教授で、メディアラボに創設からかかわったアレックス・ペントランドは、ビッグデータによって社会の流動性を物理学的に分析し、最適設計する「社会物理学《ソーシャル》(Social Physics)」を提唱している。[74]

ペントランドの構想する未来では、わたしたちは四六時中スマホのようなモバイル端末（ソシオメーター）によって「監視」されているが、これは言論・思想統制とは関係がない。この端末で収集されるのは一人ひとりの思想信条や政治的・宗教的信念ではなく、誰

72　いうまでもなくこれは、フランスの哲学者ミシェル・フーコーのいう「牧人＝司祭権力」の完成形だ。
73　リチャード・セイラー、キャス・サンスティーン『NUDGE　実践　行動経済学　完全版』遠藤真美訳、日経BP
74　アレックス・ペントランド『ソーシャル物理学　「良いアイデアはいかに広がるか」の新しい科学』矢野和男解説、小林啓倫訳、草思社文庫

といつどのくらい（さらにはどのような声の大きさと身振りで）会話・交流したかという客観的なデータで、これによってアイデアをどのように探索し、仲間たちと分かち合った（エンゲージした）かが数値化できる。

ペントランドはこのような「生きた実験室」での研究を積み重ね、グループ外のメンバーと頻繁に接触し、同時にグループ内のメンバーと均等に交流する組織はパフォーマンスが大幅に向上することを明らかにした。その集団的知性（ネットワーク・インテリジェンス）は、個人の知能はもちろん、優秀なメンバーを集めた（だけの）集団よりもずっと高かった。

これをわかりやすくいうと、一人ひとりの自主性を最大限に活かせる風通しのよい組織は、一流大学卒を集めたものの、「部長」、「課長」と呼びあい、会議で自由な発言が許されない官僚主義的なムラ社会組織（日本の官庁や大企業のほとんどはこれだろう）よりも、ずっとよい成果をあげるのだ。

徹底的に社会的な動物として進化してきたわたしたちは、つねに周囲の「仲間」を意識し、無意識に模倣している。その結果、集団的（社会的）知性は、メンバー個人の知性とは関係なく、組織がどのようにネットワーク化されているかで決まることになる。――この意味で社会物理学は、ティールの師であるルネ・ジラールの「模倣理論《ミメシス》」を数学的に洗練したものだ。

社会物理学では、人間を物理世界における原子と見なし、その動きを詳細に監視・収集することで、物理学と同じ方法で、社会（人間世界）を分析する。[75] それがこれまで実現できなかったのは、人間＝原子の動きを捉える方法が10年に1回の国勢調査のようなものしかなかったからだ。

だがモバイル端末の普及によって、状況は劇的に変わった。いまではプライバシーに配慮しながら、クレジットカード情報や通話・SNSの履歴、ウェブ検索履歴、GPSの位置情報などで、社会を構成するひとびとの動き（原子の流れ）をリアルタイムで捕捉し、解析することが可能になった。

社会物理学の知見をビジネスに応用すれば、組織の交流ネットワークを最適に〝チューニング〟することで、生産性が劇的に高まり、大きなイノベーションを起こすことが可能になる。国民すべてが「ソシオメトリック・バッジ」という監視端末をつけ、いつ誰とど

75　マーク・ブキャナン『人は原子、世界は物理法則で動く　社会物理学で読み解く人間行動』阪本芳久訳、白揚社

のように接触したのかをリアルタイムで捕捉すれば、新型コロナのようなパンデミックを効果的に抑制し、世界で数億人の生命を救うことができると考える疫学者もいる。

それに加えてペントランドは、同じ環境に置かれた仲間よりも極端に活動レベルが低い場合はうつ病のリスクがあるとして早期に支援機関にシグナルを出し、さらには挙動不審な者を発見し、犯罪を減らすことも可能だと述べている。[76]

社会物理学が構想する「リベラルな監視社会」では、監視の主体は国家ではなく民間企業になるだろう。だがプラットフォーマーが国家を超える影響力をもつようになった現在、その未来図が中国の監視社会とどこがちがうのかは定かではない。

新たな自由の領域

2009年4月、ティールは保守派のシンクタンク、ケイトー研究所の論壇フォーラムに「リバタリアンの教育」という短いエッセイを寄稿した。ティールは冒頭、次のように書く。[77]

私は、10代の頃に抱いた信念——至高の善の前提となる真の人間的自由(human

freedom）――にいまだにコミットしつづけている。私は、搾取的な税制、全体主義的な集産制、死を不可避なものとするイデオロギーに立ち向かっている。これらすべての理由から、私はいまでも自分自身を〝リバタリアン〟と呼んでいる。[78]

「リバタリアンの教育」には晦渋《かいじゅう》な用語こそないものの、真意を測りかねる文章があちこちにある。たとえば「1920年以降、生活保護受給者の急増と女性の選挙権の拡大――リバタリアンにとって手ごわいことで悪名高い2種類の有権者――によって、〝資本主義デモクラシー（capitalist democracy）〟の概念は矛盾語法（oxymoron）になってしまった」という記述。

これをふつうに読めば、「資本主義」と「デモクラシー」は本来は調和しているものだ

76　これをグロテスクな「監視社会」と感じるかもしれないが、監視カメラが受け入れられたように、社会がより安全になるのなら、ひとびとはソシオメトリック・バッジの装着を歓迎するかもしれない。
77　Peter Thiel "The Education of a Libertarian" CATO UNBOUND (April 13, 2009)
78　リバタリアニズムの定義として、「死を不可避なものとするイデオロギー＝デスイズム」の否定を加えるのがいかにもティールらしい。

が、生活保護受給者と女性に選挙権を与えたことでそれが破綻してしまった、という意味になる。当然のことながら女性の参政権を否定しているのかとの批判を受け、編集部が本人に確認したところ、ティールからは、「しばしばジェンダーギャップと呼ばれる投票パターンについてのありふれた統計的観察」を述べただけで、「どのようなひとも選挙権を取り上げられるべきではないものの、投票がものごとをよくするというほんのわずかな希望も抱いていない」とさらに困惑させる〝説明〟が返ってきた。

こうした難所を無視してざっくりいうならば、ティールはこのエッセイで政治に対する絶望を告白している。それはリーマンショック後に、野放図な金融機関を国家が莫大な公金を投じて救済したことで権力（リベラルな政府）がますます肥大化することが確実になったからで、そんな「政治」から逃れるためにリバタリアンは、テクノロジーによる新たな自由の領域を開拓しなければならないと説く。

ここでティールは、「自由」の可能性として、①サイバースペース（インターネット）、②アウタースペース（宇宙）、③シーステディング（海上自治都市）の3つを挙げている。だがこのうち、サイバースペースは個人の自由の領域を拡張したものの、それはしょせんヴァーチャルなものでしかない。

アウタースペースのフロンティアはイーロン・マスクが目指す火星への移住のことだが、その実現にはまだ時間がかかる。そう考えれば、パトリ・フリードマン（経済学者ミルトン・フリードマンの孫）が手掛けるシーステディング・プロジェクト（どこの国にも属さない公海上に人工の島をつくり「独立自由国家」を樹立する）こそがもっとも現実的なリバタリアンの目標になると（当時は）考えていたようだ。

だがこのエッセイから何年たっても「リバタリアンのための海上自由国家」は建設の兆しすらなく、ティールは2014年時点で、「これ（シーステディング）はごくささやかなサブプロジェクトであり、実現ははるか遠い将来になるでしょう」と述べている。16年の米大統領選でティールはトランプを支持するが、その背景には「3つの可能性」がすべて失われたことがあるのではないだろうか。

「政治」から逃れる術がないのなら、自ら「政治」に介入するほかはない。その目的は、テクノロジーによって自由な空間をつくるプロジェクトを国家権力に邪魔させないことだ。

この意味では、「大きな福祉国家」を目指すヒラリー・クリントンよりも、規制のことなどなにも考えていない（自分のことにしか興味のない）トランプのほうが、ティールにとってずっと好ましかったのだ。

世界を恐れる者

ピーター・ティールのようなテクノ・リバタリアンの大半はアナキストではなく、総督府功利主義者だ。死を恐れ、不死のテクノロジーを手にしようとする者が、「安全」を放棄するわけがないことを考えれば、これは当たり前の話でもある。

パーソナリティ心理学では、経験に対して開かれているかどうかには個人差があり、新しい体験や見知らぬひととの出会いを積極的に求める（新奇性を選好する）「世界を恐れない者」がリベラルに、新しい体験や見知らぬひとを警戒し、親しいひとたちとの濃密なつき合いを好む（新奇性を嫌悪する）「世界を恐れる者」が保守になるとする。[79]

リベラルは知能が高く、保守は知能が低いとは一概にはいえないものの、経験への開放性に言語的な知能が関係していることは間違いない。

子どもがいたずらをしたとき、親や先生は「なんでそんなことをしたの!?」と叱るが、言語的知能の高い子どもはそのとき、「友だちがやっていたから」「禁止されているなんて知らなかった」などと説明できる。そうすると大人は納得して、「でもそれは間違っているからやっちゃダメ」と子どもを諭して話は終わる。ところが言語的知能の低い子どもは、そういう場面でうまく説明できないので、黙り込むしかない。

「なんでそんなことをしたの!?」と怒るのは、道徳を教えようとしているのではなく、因果関係がわからないと不安だからだ。ホラー映画が怖いのは、殺人鬼の行動が常識では理解できないからだが、それと同じように、自分の行動を説明しない子どもは傍《はた》から見てとても不気味に感じる。

これは友だち関係でも同じで、論理・数学的知能が極端に高くても、心の理論がうまく構築できない子どもは、つねに「なんでそんなことをしたの!?」と問い詰められ、未知の世界を怖いところだと感じるようになる。そうなると、家族や親しい友人だけの狭い世界で生きていくほうが快適になるだろう。みんなが自分のことを知っていれば、いちいち説明する必要がないから。

ロバート・マーサーはコンピュータサイエンスの天才で、ヘッジファンド、ルネッサンス・テクノロジーズで巨万の富を得ると、次女レベッカとともにアメリカ政治に深くかかわり、2016年の大統領選ではドナルド・トランプの最大の資金支援者になった。

79　詳しくは拙著『スピリチュアルズ「わたし」の謎』（幻冬舎文庫）を参照。

マーサーはメディアにはまったく登場しない「変わり者」で、ヘッジファンド時代の様子はこう描写されている。[80]

マーサーは人付き合いが本当に嫌いだった。あるとき同僚に、人間よりも猫と一緒にいるほうがいいと言った。夜には、「フクロウの巣」――賢くて冷静、長い時間黙っていることで知られるもう一つの生き物――と名付けたロングアイランドの邸宅に引きこもり、バスケットボールコート半面分に張りめぐらせた線路に二七〇万ドルの列車の模型を走らせて遊んだ。

マーサーは政治的に保守派で、全米ライフル協会の会員としてマシンガンを何丁も集め、アーノルド・シュワルツェネッガーが映画『ターミネーター』で使ったガス駆動式のAR-18突撃銃まで持っていた。

ティールとマーサーはともにトランプを支持したが、2人に共通するのは、とてつもなく賢い大富豪であることと、「世界が自分を脅かしている」という感覚ではないだろうか。

ヴィクトリア時代の天才

　功利主義者にとっては、たとえそれがオーウェルの『１９８４』的な「監視資本主義[81]」であっても、社会の効用を最大化するような功利的な政策が実施されるかぎりにおいて、総督府の統治は好ましい。功利主義的なリバタリアンならば、それが「ナッジ」のように、自由を束縛しない（と主観的には感じられる）見えない統治であればなおよいと考えるだろう。

　功利的な総督府は、ひとびとの効用がより大きくなるのなら、テクノロジーを加速するだけでなく、デモクラシーを否定する、もしくは制限することも躊躇しないだろう。――だったら自由も否定され、奴隷制が復活するのではないかとの疑問をもつだろうが、そうはならない。奴隷は人生の効用を著しく引き下げるため、功利的な総督府の政策として採用されることはない[82]。

80　グレゴリー・ザッカーマン『最も賢い億万長者　数学者シモンズはいかにしてマーケットを解読したか』水谷淳訳、ダイヤモンド社
81　ショシャナ・ズボフ『監視資本主義　人類の未来を賭けた闘い』野中香方子訳、東洋経済新報社

そうなると問題は、「総督府は功利的につねに正しいか？」になる。

フランシス・ゴルトンはダーウィンのいとこで、ヴィクトリア時代（ヴィクトリア女王が統治した１８３７年から１９０１年までで、イギリス帝国の絶頂期とされる）の大知識人だった。気象学では気圧の概念を、法医学では指紋の分類法を、心理学では言語連想法を確立したゴルトンは、あらゆるものを数値化して計測しなければ気がすまない、典型的な「パターン・シーカー」だった。

ゴルトンの最大の業績は、データのばらつきを正規分布と偏差で記述するという独創によって、近代統計学の基礎をつくったことだ。さらには、極端な変異は世代を経るごとに平均に近づいていくという「平均への回帰」を発見してもいる。

カール・ピアソンは19世紀末を代表する進歩的知識人で、急進的なフェミニストであり、熱烈なマルクス主義者として知られていた（マルクスに傾倒するあまり、Carlの名前をカール・マルクスと同じKarlに変えた）。そのピアソンはゴルトンに師事し、ヒストグラム、統計的仮説検定、相関・回帰分析、多変量解析など、現代の統計学で使われる手法の多くを確立した。

ロナルド・フィッシャーは１８９０年にイギリスの中産階級の家庭に生まれたが、14歳で母を失い、その直後に父が破産したため生活は困窮し、さらに極度の近視だったため、紙に文字を書くのを禁じられた。だがそれによって、数式を幾何学的に自在に視覚化できるようになったという。フィッシャーはパブリックスクールの教師をしていた1916年、データのばらつきを分散として記述することで、遺伝的要因（遺伝分散）と環境的要因（環境分散）を区別できることを見出し、のちの量的遺伝学の基礎を打ち立てた。

　ゴルトン、ピアソン、フィッシャーはいずれも数学の天才で、その時代を代表する進歩的な知識人だったが、それ以外にも共通点がある。3人とも、優生学の熱烈な支持者だったのだ。

「リベラル」が推進した優生学運動

　人間を動物のように育種するという発想は古代ギリシア（プラトン）にすでに見られる。ゴルトンは、（いとこである）ダーウィンの進化論が、この育種を正当化すると考えた。[83]

82　総督府功利主義で重要なのは「人権」ではなく、「効用の最大化」になる。ひとびとが「人権」や「民主主義」にさほどの価値を見出さなくなれば、他の効用のために切り捨てられたり、制限されたりすることはあるだろう。

ダーウィンの慧眼《けいがん》は、自然選択は置かれた環境のなかで生存と生殖に有利な個体がより多くの子を残すだけのことで、進化には目的がないと見抜いたことだった。ゴルトンはこの思想を正確に理解し、進化が無目的であれば、人為選択によってよりよい人間を生み出す責務は人間自身にあるとして「優生学（eugenics）」という新たな学問を創始した。

ゴルトンは優生学によって人間の最適な育種法を研究し、帝国主義に適した（植民地経営にふさわしい）イギリス人をつくりだそうとした。ピアソンは、これまで民族を〝浄化〟してきた自然選択のちからが社会福祉によって働かなくなったとして、優生学で下層階級を除去して社会階級をなくし、国民を遺伝的に強化することで、「社会主義政府による帝国主義」というユートピアを実現しようとした。

フィッシャーは大学時代に、のちに経済学者となるジョン・メイナード・ケインズらとともに「ケンブリッジ大学優生学会」を立ち上げた。[84] フィッシャーは現代進化論の幕開けを告げる金字塔とされた1930年の『自然選択の遺伝学的理論』の後半で、下層階級の出生率が高く、上位の階級ほど出生率が低いというイギリス社会の現状を「成功のパラドクス」だとして、それを「自発的かつ任意な不妊手術」によって補正しなければならないと主張した。

ダーウィンの思想（進化学）の受容を検証した進化生物学者の千葉聡は、ナチスのホロコーストから歴史をさかのぼって、20世紀初めの優生学を「レイシズム（人種主義）」として一方的に切り捨てる「リベラル」の常識に疑問を呈している。なぜなら、イギリスやアメリカで優生学を主導した知識人のほとんどは（当時の）「リベラル」だったからだ。千葉は次のように書いている。

優生学運動を推進していた人々の大半は、自分たちの社会の理想や表現の自由、民主的プロセスへの参加という意識を強く持ち、リベラルで進歩的で、科学への関心が高く、道徳意識の強い人々である。優生学の拡張された功利主義――最大期間にわたる幸福量の最大化は、未来世代に対して現世代は責任を負うという意識とも重なっている。こうした意識を持つ人々は、現代なら言論の自由を重視し、環境問題や差別の撤廃への関心が強い層に該当するだろう。（千葉聡『ダーウィンの呪い』）

83　以下の記述は千葉聡『ダーウィンの呪い』（講談社現代新書）による。
84　ケインズはリベラルな知識人の代表とされるが、イギリス優生学会の副会長に就任してもいる。

〝善意〟をどこまで信じられるか

1912年に心神耗弱者の不妊手術法案がイギリス議会に提出されると、ジョサイア・ウェッジウッド4世[85]は「労働者階級を家畜のように育種しようとする恐ろしい優生学会の精神を示す」ものだと糾弾し、多くの議員の態度を変えさせて法案を否決に導いた。ジョサイアは「個人の人生、結婚、家庭、育児、教育に対する国家の介入と強制は(略)社会を弱体化させる最も由々しきモラルハザード」だと考えるリバタリアンだった。

アメリカでは優生学は人種主義や奴隷制の正当化と結びつき、「品種改良による人類改良の科学」として広く受け入れられた。こうして1914年までにインディアナ州やコネチカット州など全米12州で強制不妊手術を認める州法が成立したが、カリフォルニア州を除き、行政上の問題やキリスト教原理主義者(福音派)の抵抗からなかなか実施には至らなかった。

その結果、アメリカの優生主義者は、(日本では「排日移民法」と呼ばれる)1924年の移民法(ジョンソン―リード法)によって、南欧や東欧(主にユダヤ系)からの移民を大幅に制限し、アジア系の移民を禁止することで、「遺伝的に劣った『人種・民族』」の流入を阻止しようとした。

功利主義的な（当時の）リベラルが推し進める優生学に反対したのは、イギリスではリバタリアン、アメリカでは福音派という「原理主義者」だった。進歩的な功利主義者は、しばしば原理主義者を頑迷固陋《ころう》と笑いものにするが、千葉が描く優生学の歴史は、現代の功利主義者であるテクノ・リバタリアンを考えるうえでもきわめて示唆的だ。

イーロン・マスクやピーター・ティールを見ればわかるように、わたしたちはいま、とてつもない富を獲得した、とてつもなく賢い者たちが、テクノロジーをエクスポネンシャル（指数関数的）に〝加速〟させて社会を大きく改造する時代を生きている。「よりよい世界」「よりよい未来」をつくろうとする彼ら（テクノ・リバタリアンの大半は男性）の意図はおおむねよいもので、わたしたちの生活はよりゆたかに、より快適になっていくだろう。

だがどれほど賢い者でも、未来の災厄を予測することは不可能ではないだろうか。フランシス・ゴルトンはナチスの登場を予見できなかった。「X-MEN」に登場するAI兵器

85　その名のとおり陶磁器メーカー、ウェッジウッドの創業一族で、ダーウィン家とは縁戚関係にあった。

は、人類をミュータントから守ることを目的として開発されたが、人類を滅亡の瀬戸際に追い込んだ。

よい意図がかならずよい結果をもたらすとはかぎらない。このことに気づいた中世のヨーロッパ人は、「地獄への道は善意によって敷き詰められている」との警句を残した。

なお、現在のピーター・ティールは公的な活動から半ば身を引き、2024年の米大統領選に積極的にかかわるつもりもないようだ。あくまでも噂ではあるものの、同性のパートナーとのあいだに2人の子どもをもうけ（遺伝的なつながりがあるかは不明）、親業にいそしんでいるという。

PART4　ネクストジェネレーション

2020年に公開された映画『ニュー・ミュータント』は『X-MEN』シリーズのスピンオフで、煉瓦造りの古い病院（撮影場所は1892年に建設された旧精神科病院）に5人の十代の若者が隔離され、女医のレイエス博士が管理している。

若者たちはみな、遺伝子になんらかの変異があるミュータントだった。3人の少女のうち、強力な戦闘能力をもつマジックは、性的虐待を受けたときに能力が目覚め、18人の男を殺していた。オオカミに変身するウルフスベインは敬虔なカトリック信者だったが、告解で魔女だと責められ、神父を殺してしまった。

2人の少年のうち、キャノンボールは炭鉱で父親たちと働いていたとき、パニックになって爆発的なスピードで宙を飛び、その衝撃で炭鉱が崩落して全員が死んだ。サンスポットは興奮すると太陽のような熱を発し、恋人を焼き殺した。

主人公のダニー（ミラージュ）はアメリカン・インディアンの少女だが、巨大な竜巻で父親や家族をすべて失い、この病院に送られてきた。だがレイエス博士は、その日の気象情報では、どこにも竜巻は発生していないという。ダニーには遺伝子検査で変異が見つかったものの、どのような能力をもっているのかは本人も知らない。

若者たちはこの病院で訓練を積んで、将来、「X-MEN」に加わることを夢見ている。

だが孤立した病院のなかで、「次世代のX－MEN」たちは次々と奇妙な現象に襲われることになる……。

イーサリアムをつくった神童

ヴィタリック・ブテリンは1994年にロシアに生まれ、6歳のときに家族とともにカナダに移住した。小学校の頃から数学とプログラミングに強い関心を示し、13歳でMMORPG（Massively Multiplayer Online Role-Playing Game：大規模多人数同時参加型オンラインRPG）のワールド・オブ・ウォークラフトに夢中になったが、ある日、ゲーム会社がナーフ（ゲーム全体のバランスを調整するために、パッチやアップデートによってキャラクターのクラスやスキル、武器などを下方修正すること）によって、大好きなキャラだったウォーロック（魔法使い）の呪文を削除したことにショックを受け、ひと晩泣き明かした。この体験から、ブテリンは中央集権的組織への懐疑をもつようになったという。

サトシ・ナカモトがブロックチェーンについての記念碑的な論文を投稿したのは2008年10月だが、ブテリンはコンピュータ科学者である父から17歳（2011年）のときにこのイノベーションを教えられた。ブロックチェーンの非中央集権的な仕組みに魅せられたブテリンは、『ビットコイン・ウィークリー』というオンライン雑誌に記事を書くようになり、このサイトが赤字で閉鎖されると自ら『ビットコイン・マガジン』を共同創設した。

このオンライン雑誌でブロックチェーンのコミュニティのメンバーたちと交わした議論をもとに、ブテリンは2013年11月、19歳でビットコインに代わる「分散型アプリケーションのためのプラットフォーム」イーサリアムのホワイトペーパーを発表した。このときブテリンはカナダの大学生だったが、ピーター・ティールのフェローシップ「20 under 20」から10万ドルの助成金を得て大学を中退、イーサリアムの普及に専念することになる。――ティールは、きわめて高い知能をもつギフテッドが大学で無為に過ごす期間は、本人にとっても社会にとっても損失だとして、大学を休学・中退して起業することを条件に、毎年、20歳未満の20人に資金支援するフェローシップを創設した。[86]

ビットコインはブロックチェーンを使った分散型デジタル通貨だが、イーサリアムではブロックチェーンをEVM（Ethereum Virtual Machine）という仮想コンピュータにして、一般のコンピュータと同様に、さまざまなアプリケーションを実行できるようにしている（これを「ワールド・コンピュータ」という）。これによってイーサリアムは、通貨取引だけでなく、市場で行なわれるあらゆる取引・契約を人間の手を介さずに処理できるようになった。これが「スマートコントラクト」で、ブロックチェーンの可能性を大きく拡張した。イーサリアムのプラットフォーム上で使われる暗号通貨がEther（イーサ）だ。イーサ（ＥＴＨ）の時価総額はビットコイン（ＢＴＣ）に次ぎ（２０２３年にビットコイン約85兆円に対してイーサは約32兆円）、ブテリンの個人資産も27歳（２０２１年）で10億ドル（約１５００億円）を超え、ビリオネアの仲間入りをしたと報じられた。

ミニマリストの大富豪

サム・バンクマン゠フリードは１９９２年に、ともにスタンフォード大学ロースクール教授の両親のもとに生まれ、12歳で功利主義に目覚めた。バンクマン゠フリードは政治的にきわめて早熟で、最初は原理主義的なリバタリアニズムに関心をもったものの、国家に税金を払わないのは利己的だと疑問に感じたのだという。マサチューセッツ工科大学では物理学と数学を学び、学問の世界に進むことを考えていたが、〈効果的な利他主義〉を知

86　アレクサンドラ・ウルフ『20 under 20　答えがない難問に挑むシリコンバレーの人々』滑川海彦、高橋信夫訳、日経ＢＰ

って金融の世界を選んだ。

〈効果的な利他主義〉は「動物の解放」で知られるオーストラリアの哲学者ピーター・シンガーが唱え[87]、ピーター・ティールが賛同したことで注目を集めた（Effective Altruism から「EA」と略される）。

功利主義者であるシンガーは、善意もコストパフォーマンスで考えるべきで、同じ1万円を慈善活動に投じるなら、たまたまテレビで見た「かわいそうなひとたち」に寄付するのではなく、自分のお金がもっとも有効に使われる（同じお金でより多くの生命を救うことができる）プロジェクトを支援すべきだと論じた。

さらに〈効果的な利他主義者〉は、苦しい家計から捻出した善意の1万円よりも、大富豪からの1億円の寄付のほうがずっと大きな価値があるとする。1万円で1人の生命が救えるとすれば、1億円では1万人が救えるからだ。

ここから、「優秀な若者がボランティア団体で働くのはコスパが悪く、ウォール街などの高給の仕事について、その給与からより多くのお金を〈効果的な〉慈善団体に寄付すべきだ」ということになる。どの慈善団体が〈効果的〉かは、理念（きれいごと）や著名人のお墨付きではなく、ランダム化比較試験によって客観的に数値化して判断する。[88]

バンクマン＝フリードはこの教えによってウォール街で働くことを選び、２０１８年には、アメリカと日本の暗号通貨の価格差を利用した裁定取引で巨額の利益をあげた。その資金で暗号通貨のデリバティブ取引所ＦＴＸを創業すると、そこから得た収益で、気候変動や公衆衛生、動物福祉などの分野に多額の寄付活動を行ない、２０２０年の大統領選では民主党のバイデンを支援した。

バンクマン＝フリードは29歳にして２５０億ドル（約3兆８０００億円）という莫大な資産を築き、「現代史のなかで誰よりも早く富を蓄積した人物の一人」とされたが、美食とは無縁のヴィーガン（完全菜食主義者）であり、アメリカの規制を避けて移り住んだ香港では友人とシェアルームに住み、いつもＴシャツと短パン姿で、質素な生活を送っていた（と誰もが思っていた）。

「ミニマリストの大富豪」として、バンクマン＝フリードはリベラルなＺ世代の象徴とな

87　ピーター・シンガー『あなたが世界のためにできるたったひとつのこと〈効果的な利他主義〉のすすめ』関美和訳、ＮＨＫ出版
88　ウィリアム・マッカスキル『〈効果的な利他主義〉宣言！　慈善活動への科学的アプローチ』千葉敏生訳、みすず書房

ったが、2022年11月にFTXが破綻すると、100億ドルちかい顧客資産を流用していたことが明らかになった。現在は詐欺罪など7つの容疑で逮捕・収監されており、その罪状をすべて合わせると最大で懲役115年の刑が科せられるという。

AI開発を牽引する理想主義者

サム・アルトマンは1985年にシカゴで生まれ、皮膚科医の母から8歳のときにアップルのマッキントッシュをプレゼントされたことで、スティーヴ・ジョブズが「アイドル」になった。ミズーリ州の私立学校を卒業したあと、スタンフォード大学のコンピュータサイエンス科に入学したが1年で退学、位置情報ベースのモバイルアプリを開発する会社を創業し、ベンチャー投資ファンドや暗号通貨「ワールドコイン」の発行を手掛けたのち、イーロン・マスクなどから投資を受けた生成AIの開発企業「オープンAI」のCEOに就任した。

オープンAIはマイクロソフトと提携して開発した対話型人工知能「チャットGPT」で近年のAIブームを牽引し、アルトマンは世界でもっとも有名な起業家の一人になった。ところが2023年11月、オープンAIの理事会がアルトマンをCEOの座から突如解任、わずか5日後にCEOの職に復帰するという事件が起きる。――この椿事《ちんじ》についてはあとで述べる。

そのアルトマンは23年7月、共同で設立した「ワールドコイン財団」のプロジェクトとして、オーブ（Orb）というバレーボール形の機材でユーザーの虹彩をスキャンするイベントを日本を含む世界20カ国で実施し、注目を集めた。しかしなぜ、暗号通貨にユーザーの虹彩情報が必要なのだろうか。それはアルトマンが、全世界の80億人にワールドコインで「ベーシックインカム（BI）」を支給するという壮大なビジョンを描いているからだ。

人間と区別がつかない会話能力をもつAI「チャットGPT」を開発したアルトマンは、コンピュータの能力が人間の知能を超えるようになれば、ほとんどの労働は機械によって代替されると考えている。だがそうなると、取り残されたひとたちはどうすればいいのか。

これは（″リベラル″とされる）ユヴァル・ノア・ハラリが予想する「ホモ・デウス（神人）」と「無用者階級」が分断された未来世界以外のなにものでもない。[89]

このディストピアをユートピアへと反転させるために、アルトマンは大胆な構想を掲げ

89　ユヴァル・ノア・ハラリ『ホモ・デウス　テクノロジーとサピエンスの未来』柴田裕之訳、河出書房新社

る。機械が働いて得た収入を原資に毎月一定額のＢＩを受け取り、それでゆたかな暮らしができるのなら、誰も「無用者階級」になどならなくていいのだ。

世界の終末に備える「プレッパー」

イーロン・マスクやピーター・ティールのようなテクノ・リバタリアンの「第一世代」に比べて、ブテリンやバンクマン＝フリード、アルトマンらの「第二世代」の特徴は、いじめのようなネガティブな個人史がほとんどない（すくなくとも語られない）ことだ。

幼少期のバンクマン＝フリードは会話のときになぜ笑顔を浮かべなくてはならないのか理解できず、学校の勉強は退屈で友だちもほとんどできなかったが、シリコンバレーの中心地（パロアルト）で裕福な両親のもと恵まれた子ども時代を過ごした。ブテリンはロシアからの移民だが、カナダでギフテッドとしての教育を受け、子ども時代の悲しい思い出は、（本人の弁によれば）大好きなゲームキャラのパワーが一方的に削られたことだ。

それに対して彼らより10歳ほど年上で、ゲイであることをカミングアウトしているアルトマンは、「２０００年代の中西部で同性愛者として育つというのは、もっとも素晴らしい体験というわけではなかった」と語っている。

だがそのアルトマンにしても、私立高校で保守的なキリスト教徒のグループが性的多様性についての集会をボイコットしたとき、全校生徒の前で自分は性的マイノリティだと述べ、「この学校を抑圧的な場所にしたいのか、それとも異なるアイデアに開かれた場所にしたいのか」と問うた。当時のスクールカウンセラーは、「サムの行動が学校を変えました。それはまるで、さまざまなタイプの子どもがいっぱいつまった大きな箱を開けて、子どもたちを世界に解き放ったようでした」と語っている。[90]

テクノ・リバタリアンの「第二世代」には、ピーター・ティールから感じるような「世界に対する敵意」（そしてこれが、ティールの魅力にもなっている）がないが、アルトマンとティールには共通点がある。どちらも、世界の終末に備える「プレッパー（prepper：準備する者）」であることだ。アルトマンも子どもの頃から死を不条理だと思い、いつも世界の終末について考えているという。

パンデミック、超絶ＡＩの暴走、核戦争などに備えて、アルトマンはカリフォルニア州のビッグサー（ロサンゼルスとサンフランシスコのあいだにある観光地）に広大な私有地を

90　Tad Friend "Sam Altman's Manifest Destiny: Is the head of Y Combinator fixing the world, or trying to take over Silicon Valley?" The New Yorker（Oct 3, 2016)

購入し、そこに「銃、金（ゴールド）、ヨウ化カリウム、抗生物質、電池、水、イスラエル国防軍のガスマスク」を備蓄している。さらには「予備計画」として、最悪の場合は「ティールとプライベートジェット機に乗ってニュージーランドに避難する約束をしたよ」と語っている。ティールは核戦争など「世界の終末」でもっとも生き残る可能性が高い国として南半球のニュージーランドを選び、そこに巨大なシェルターをつくったとされている。[91]

さらにバンクマン＝フリードも、『マネー・ボール』などで知られるノンフィクション作家マイケル・ルイスに、核戦争、コロナを超える致死的なパンデミック、人類に反抗し絶滅させる人工知能などの「地球上の生命に対する存在論的なリスク」を恐れていて、アメリカの民主政への政治的攻撃を防ぐために巨費を投じていると語っている。[92]

加速主義vs.破滅主義

オープンＡＩは２０１５年に、アルトマンがイーロン・マスクらとともに、「人類の脅威にならないＡＩ」を実現するために設立した非営利の研究機関だった。マスクはそれ以前から、グーグル創業者で、数少ない友人の一人であるラリー・ペイジが開発する人工知能（DeepMind）が暴走し、人類を滅亡させることを本気で怖れていた。[93]

ところが実際に開発を始めると、高度なＡＩには多額の資金と膨大なコンピューティング能力が必要なことがわかり、19年にアルトマンは、営利法人を設立してマイクロソフトから出資を受けることを決める（これを機にマスクとは決裂した）[94]。

この決断によって開発は急速に進み、質問に対して人間と区別がつかない回答をする「チャットＧＰＴ」の公開で世界的なＡＩブームを巻き起こすと、オープンＡＩの企業価値は８００億ドルにのぼると試算されるまでになった。総額１００億ドルの出資を決めて株式の49％（独占禁止法に抵触しない上限）を所有するマイクロソフトは、ブラウザに生

91 ティールの友人で、スタンフォード大学の寮長の家の前で「ホモ野郎！」と叫んだキース・ラボイスが２０１８年に同性婚をしたときは、アルトマンが結婚式の司会を務めた。

92 Michael Lewis "Going Infinite: The Rise and Fall of a New Tycoon" Penguin

93 オープンＡＩ設立時に、マスクがグーグルから研究者を引き抜いたために、マスクとペイジは決別した。

94 マスクがテスラの自動運転技術開発のためにオープンＡＩの研究者を引き抜き、利益相反が生じたとして手を引いたことで、アルトマンはマイクロソフトの支援を仰がなくてはならなくなったとの説明もある。

成AIを搭載することでグーグルやアマゾン、メタなどのライバルをリードし、株価も最高値を更新した。

一見、順風満帆に見えたものの、23年11月17日、そのアルトマンが突然、CEOを解任されるという事件が起きる。じつは営利企業としてのオープンAIは株主によって統治されているのではなく、非営利組織の理事会が支配していた。この理事会は6人で構成されており、そのなかには、このままAIの能力が高度化しつづけると、いずれ人類の存続にとって脅威になると考えるメンバーが含まれていた。

報道によると、今回の解任劇の前に、オープンAIの研究者数人が、人類を脅かす可能性がある強力なAIの発見について警告する書簡を理事会に送っていた。このAIは「Q*（キュースター）」と呼ばれるプロジェクトで、これまでは困難とされていた論理的思考ができるようになったとされる。[95]

あまりに速い開発ペースに危機感をもった社外取締役が、巨大プラットフォーマーと組んでAI開発に前のめりになるアルトマンと対立した。これにシンギュラリティ（技術的特異点）が災厄を引き起こすと懸念する共同設立者のイリヤ・サツケバー（ニューラルネット開発の第一人者）が同調して、「クーデター」が起きたとされる。[96]

ただし、いくら「人類のため」といっても、最大の出資者であるマイクロソフトを蚊帳の外に置いたばかりか、従業員とも相談せずに決めた〝暴挙〟が強い反発を引き起こすのは当然だった。社員たちは持ち株会社を通じてオープンAIの株式を保有しており、混乱によって会社が破綻・消滅するようなことになれば多額の資産を失ってしまうのだ。

こうして770人の社員のうち730人が理事会に対して、総退陣とアルトマンの復帰を求める文書を提出する事態になった。外堀を埋められた社外取締役たちに抗う術《すべ》はなく、アルトマンのCEO復帰と理事会の刷新を受け入れるほかなかった。

この事件の詳細はいまだ不明な部分もあるが、ひとつだけはっきりしたことがある。

AIの開発を極限まで推し進めようとする「加速主義者」のグループと、加速した技術が人間の管理能力を超えることを警戒する「破滅主義者」のグループは今後も衝突を繰り返すだろうが、最終的にどちらが主導権を握ることになるかは、今回の騒動によって誰の

95　ニューラルネットワークによる従来のAIは、ビッグデータから統計的に次の単語を予測し、それを論理的思考であるかのように見せかけているだけだ。
96　アルトマン自身が、解任騒動が起きる直前の講演で「(AIの発展は) 未知の領域に入った。能力は誰にも予想がつかないほど進化するだろう」と述べていた。

目にも明らかになった。

ハッカーに奪われた360万イーサ

スティーヴ・ジョブズを例に挙げるまでもなく、著名な起業家はみな伝説をもっている（あるいは、伝説になるような事件があったからこそ有名になった）。イーサリアムの10年の短い歴史のなかにも、ヴィタリック・ブテリンの思想に大きな影響を与えた出来事がある。それが、2016年6月に起きたイーサ流出事件だ。

スロックイットというスタートアップ企業が分散型の民泊事業のため、イーサリアム上に電子的な施錠システムのDAOを立ち上げると発表し、そのためのトークンを発行するICOを実施した。

賃貸用の部屋に電子錠をつけておき、借り手とのあいだで契約（スマートコントラクト）が成立すると、鍵を開けるためのパスワードが交付され、それと引き換えに貸し手の口座にイーサが振り込まれる。これによってAirbnb（エアビーアンドビー）のような中央集権的な組織なしに部屋の短期賃貸ができるようになるとされた。

同様の仕組みが広まれば、ライドシェアもUber（ウーバー）のような中央集権的な組織なしに運営できるだろうから、このプロジェクトは大きな注目を集め、当時の発行済みイーサの約14％、150億円相当が集まったとされる。

ここでいくつか専門用語が出てくるが、DAO（ダオ：Decentralized Autonomous Organization 非中央集権型の自律組織）は「ブロックチェーンのスマートコントラクトによって定義される管理者のいない組織」のことだ。

トークン（token）の原義は「しるし」や「証拠」「兆候」で、そこから「引換券」「商品券」（book token は「図書券」のこと）に拡張され、ブロックチェーンではDAOが発行する利用券の意味で使われる。

ICO（Initial Coin Offering）はトークンの発行をIPO（Initial Public Offering：新規株式公開）に見立てたもので、これによってDAOは証券取引委員会や証券会社・投資銀行、会計事務所などの中央集権的組織を迂回して資金調達できるようになった。

トークンと株式のちがいは、株式には「1株1票」の議決権があるが、トークンはたんなるサービスの利用券だということだ。DAOが発行するトークンのすべてを保有しても、事業を支配するどころか関与することさえできない。

これはトークンを発行する企業にとって、とてつもなく有利な条件だ。トークンは債務ではないから返済義務がなく、株式でもないから会社統治を奪われる心配もない。

それではなぜ、投資家はトークンを購入するのか。それは将来、サービスが拡大すればトークンが値上がりし、利益を得られるという見込み（投機性）があるからだ。

だがこの事業は、たちまち大きなトラブルに巻き込まれた。DAOの資金を管理するプログラムにバグがあり、そこから侵入したハッカーに360万イーサ（50億円相当）を奪われてしまったのだ（ブロックチェーンそのものの仕組みに欠陥があったわけではない）。これによって、イーサリアムのコミュニティは大混乱に陥ることになった。

歴史を巻き戻す

あらゆる中央集権的な組織を拒否するリバタリアン（クリプト・アナキスト）にとって、イーサの流出はバグのあるDAOのプログラムを書いたスロックイット社の「自己責任」であり、50億円相当の暗号資産はそのバグを見つけたハッカーの正当な権利ということになる。

「code is law（コードが法だ）」というこの原理主義はいかにも極端だが、クリプト・アナキストたちは、コードを超えるなんらかの権威を認めれば、たちまち「中央集権化」が始まると警戒しているのだ。

しかしこれでは、スロックイット社のトークンを購入した善意の投資家はどうなるのか。サイファーパンクの論理では、ハッカーに不正に資産を詐取されたなら、警察や裁判所のような中央集権的な組織に頼るのではなく、自分の力で奪い返すしかない。これは西部開拓時代と同じで、過激なリバタリアニズムは誰もが西部劇のヒーローになることを求めている。

これに対してブテリンらは、（当然のことながら）こうした大規模な不正を容認すれば、イーサリアムそのものの信用が崩壊すると危惧した。そこで、ハードフォーク（hard-fork）によってハッカーの暗号資産を無効化することに決めた。

「フォーク（fork）」は分岐のことで、ソフトフォークはブロックチェーンのソフトウェアのアップデート、ハードフォークはブロックチェーンそのものの仕様変更と（一般には）定義される。

ブロックチェーンは原理的に書き換え不可能だが、これには例外があって、全体の半分超のコンピュータパワー（ハッシュパワー）を獲得した者（グループ）は、自分に都合のいいようにチェーンを改竄《かいざん》することができる。これが「51％攻撃」で、中央集権的な組織のないブロックチェーンの基底には単純な多数決がある。

そこでブテリンは、イーサリアムのコミュニティの85%の支持をとりつけて「51%攻撃」を行ない、ハードフォークを実施してハッカーがイーサを詐取する以前に歴史を巻き戻した。これは常識的な対応に思えるが、原理主義的なリバタリアンにとっては許しがたいことだった。イーサリアムのコア開発者の一人は、ブロックチェーンは固い約束が書かれたもので、それこそが正しい記録だとして、旧版を「イーサリアム・クラシック（ETC）」として存続させることにした。

クリプト・アナキストの理念は、「イーサリアムのプログラムより高いレベルの「正義」などあるべきでない」「その「盗まれた」とされるイーサは、「泥棒」と呼ばれている人の正当な所有物だ」「僕たちがクリエイトしているのは、どんなに公衆が憤慨しようとその人の所有権が守られる仕組みだ。そのことに誇りをもつべきなんだ」との発言によく表われている。[97]——イーサリアム・クラシックも暗号通貨市場で取引されているため、ハードフォークがあったにもかかわらず、ハッカーは相当な利益を得ることになった。

この「DAO事件」によってブテリンは、原理主義的リバタリアンから「中央集権を批判しておきながら、中央集権的な権力を行使した」と、イーサリアムの〝独裁者〟であるかのように批判されることになった。これが、ブテリンがコード（アルゴリズム）を補完するものとして民主的な意思決定に関心をもつようになった理由だろう。

リベラルな社会では、権力の正統性を担保する仕組みは民主的な選挙以外にない（「くじ引き」の選挙が提案されているが、たまたま当たりくじを引いた者に支配されることに誰も同意しないだろう）。中国共産党では、毛沢東から鄧小平に至る「創業者」の人治は受け入れられたが、それ以降の指導者が民主選挙を経ないで権力を行使することの説明が難しくなっている。習近平が「強権化」するのは、自らの権力の正統性が揺らいでいるからだ。

ブロックチェーンは、中央集権的な組織の管理も、取引相手への「人間的な信頼」も必要とせずに、すべての契約を完結させられるテクノロジーだ。だがそれにもかかわらず、イーサリアムはコミュニティの多数派の良識によって支えられている。こうしてブテリンは、「暗黒啓蒙」の論者たちとは異なり、自由とデモクラシーは両立すると考えるようになった。

97　坂井豊貴『暗号通貨vs.国家　ビットコインは終わらない』SB新書

胴元のいない〝民主的〟なカジノ

ブロックチェーンの特徴は、「分権性」「自律性」「透明性」「自己主権性」だ。この仕組みを拡張したイーサリアムはとてもよくできたプラットフォームだが、それで社会はどう変わるのだろうか。

NFT（Non-Fungible Token：非代替性トークン）はブロックチェーンを利用し、デジタルコンテンツに固有のアドレスを割り振ることで、世界でひとつしかないオリジナルであることが証明されたトークンだ。一時期話題になり、2021年3月にはTwitterの創業者ジャック・ドーシーの最初のツイートのNFTが約290万ドルで落札されたが、その1年後にふたたび競売に出されたら、最高の入札額は6800ドルで出品が撤回されたと報じられた。

ブテリンは、「トークンセールスは、非中央集権型プロトコルを収益化する素晴らしい手段である。この概念を真っ向から攻撃するのは、素晴らしいものを奪い取って社会に害をなそうとする行為だと考える」と述べているが、その一方で、「私たちやほかのグループがこれまでに実装してきたモデルに欠陥があるという点には完全に同意する。さまざまなモデルを試して、インセンティブをもっとうまく調整することを試みなければならないだろう」と、「トークンは詐欺の温床」という批判に対しても一定の理解を示している。[98]

スマートコントラクトの仕組みがもっとも役に立つのはどのような分野だろうか。ブテリンはこの問いに対して、ネットギャンブルを例に挙げる。周知のようにネットギャンブルこそ詐欺の温床だが、これはブロックチェーンを活用することでほぼすべて防ぐことができる。

まず「分権性」によって、中央集権的なカジノやギャンブル会社ではなく、誰もが自分の開発したゲームをブロックチェーン上に公開できる。「自律性」によって、ゲームの結果はアルゴリズムで決まり、人間が介入して損益を操作することはできない。さらに「透明性」によって、ゲームのアルゴリズムは世界に公開されているので、不正はたちまち見破られるし、どの業者がもっともコストが安いのかもすぐにわかる。

こうして「胴元のいない〝民主的〟なカジノ」が成立するが、「自己主権性」では問題が生じる。ユーザーはそれぞれ固有のＩＤをもっていて、他のユーザーと混同することは

98　ヴィタリック・ブテリン、ネイサン・シュナイダー『イーサリアム　若き天才が示す暗号資産の真実と未来』高橋聡訳、日経ＢＰ

避けられるが、これだけではボット（ネット上の自動処理プログラム）の侵入を防ぐことができないのだ。

チェスや囲碁、将棋では、ＡＩの能力はすでに人間のプレイヤーを超えている。ポーカーでも、ＡＩは人間のチャンピオンよりずっとうまくプレイするという。どれほどアルゴリズムが公平につくられていても、相手がボットなら勝負は最初から決まっているのだ。

これは、「オンライン上で接触した相手が人間なのか、ボットなのかをどのように見分けるのか」という問題だが、この課題を検討する前に、「民主的で公正でコストの安いギャンブル」が誰でも安心してプレイできるようになったとして、なにが起きるかを考えてみよう。

不確実な報酬と依存症

依存症とはなんだろうか？　この問いはすでに、神経科学によって解明されている。

脳内の神経伝達物質であるドーパミンは発見当時、「快楽物質」と呼ばれたが、近年の脳科学では、その役割は「快楽を期待させる」ことだ。ある刺激を受けて報酬系からドーパミンが産生されると、脳はその快い体験をポジティブな感情と関連づけ、同じ快感体験を何度も繰り返したいという強い欲求をもつようになる。

１９９０年代末、ケンブリッジ大学の研究者（論文当時はフリブール大学に在籍）らは、脳に電極を埋め込んだサルにコンピュータ画面を見せ、同時にチューブから甘いシロップを出したとき、脳の報酬系の個々のニューロンがどのように活動するかを記録した。[99]

緑のランプを点灯させたあとにシロップを与えると、サルのドーパミン・ニューロンは、最初はシロップを飲んだ直後に短く発火するが、やがて因果関係を学習し、緑のランプが点灯しただけで発火するようになった。快感回路は報酬を与えられたあとではなく、報酬を期待して（報酬の前に）活性化するのだ。

一方、赤のランプを点灯させたあとにシロップを与えないと、当然のことながら、ドーパミン・ニューロンにはなんの変化もない。

こうした学習が成立した後で、緑のランプが点灯してもシロップがもらえないと、一時的にニューロンの活動がほとんどなくなる（がっかりする）。逆に、赤のランプが点灯したあとにシロップを与えると、思いがけない報酬の直後に大きく発火する（興奮する）。

99　J. Hollerman and W. Schultz（1998）Dopamine neurons report an error in the temporal prediction of reward during learning, *Nature Neuroscience*

研究者は次に、緑のランプが点灯してすぐにシロップを与えるのではなく、2秒後に五分五分の確率でランダムに報酬がもらえたり、もらえなかったりするよう設定した。すると、最初の発火（期待）が始まってから結果（報酬）が出るまでの約1・8秒の「待ち時間」にドーパミン・ニューロンの発火レベル（発火頻度）が徐々に高まっていき、緑の光が消える（結果が出る）瞬間に最大値に達した。シロップを増量する（報酬を大きくする）と、「待ち時間」の最大発火レベルもそれに応じて高まった。

この「待ち時間」は、スロットマシンやルーレットが回っている時間や、ブラックジャックのカードがめくられるまでの時間に相当する。報酬が確定しない「どきどきする時間」に脳の快感回路は徐々に活動を高め、期待感が強まっていく。サルと同じく人間の脳も、決定論的な出来事（緑のランプが点くと必ず報酬がもらえる）よりも、不確実な出来事（報酬がもらえたり、もらえなかったりする）からより大きな快感を得るようにできているのだ。

説得するコンピュータ

モルモン教の敬虔な家庭に育ったB・J（ブライアン・ジェフリー）・フォッグは、スタンフォード大学で博士号を取得したあと、モルモン教徒の子弟のための教育機関ブリガム・ヤング大学で教えているときにコンピュータの可能性に気づき、1998年に〝Persuasive Computers（説得するコンピュータ）〟という論文を発表した。

フォッグはその後、スタンフォード大学に移り、シリコンバレーのIT企業に就職する（あるいはITベンチャーを創業する）学生たちに向けて、他者になにかを説得するためにコンピュータをいかに使うかを講義した。――フォッグはこれをカプトロジー（Captology）と名づけた。〝computers as persuasive technologies（説得のためのテクノロジーとしてのコンピュータ）〟の略だ。[100]

その経歴からわかるように、フォッグは「家族や友人に禁酒を説得する」というような、「ポジティブな（よい方向への）行動変容」にコンピュータを活用することを目指していた。だがもちろん、この強力なマシンがネガティブな行動変容に悪用される危険にも気づいていた。

そこでフォッグは、授業でスタンフォード大学の学生たちに、倫理的に問題のあるビジ

100　カプトロジーという用語は普及せず、ほぼ死語になっている。

ネスモデルを考えさせる課題を与えた。学生たちはこの課題に熱心に取り組み、無防備なユーザーに商品を売りつけるような「倫理に反する」コンピュータの説得技術のさまざまな方法を考案した。[101] そしてフォッグの期待に反して、ビジネス目的で行動変容をうながすアイデアは、その後、スマホやSNSなどを通じて大規模に実行されることになった。

カジノはいまや、単年度の利益を追求するのではなく、顧客一人ひとりの平均余命から〝予測生涯価値〟を計算し、生涯にわたって利益を最大化するビジネスになっている。いわばギャンブル版のSDGs（持続可能な開発目標）で、スロットマシンは顧客の脳の報酬系を適度に刺激し、破綻しない程度に依存させるようにプログラムされている。[102]

カジノは顧客の有限な資金を標的にするが、Facebook、YouTube、TikTok、LINE、あるいはNetflixなどのプラットフォーマーは、ユーザーの時間という稀少な資源をめぐって熾烈な競争をしている。これを端的にいえば、高度化したテクノロジーを使って、いかにしてユーザーを効率的に自社のサービスに依存させるかという争いだ。

知識社会とは、定義上、「賢い者がそうでない者を搾取する」社会のことだ。イーサリアムがつくりだす開放的な（なんでもありの）テクノロジー・ユートピアは、この問題を解決するのではなく、さらに悪化（加速化）させる可能性が高い。

カジノは政府が規制しているが、ブロックチェーン上の分散型のギャンブルには中央集権的な規制機関はない。アメリカではSNSが未成年者の性的搾取に利用され、若者のあいだで急増するうつ病の原因になっているとして社会問題化しているが、非中央集権的なSNSではどのような規制も不可能だろう。[103]

ここでも、エドマンド・バークが提起したやっかいな問題が出てくる。近年、日本では特殊詐欺が大きな社会問題になっているが、被害者の認知的な脆弱《ぜいじゃく》性を見れば「理性的な個人」がたんなる幻想でしかないとわかるだろう。

ベーシックインカムの決定的な弱点

わたしたちは一人ひとり異なる脆弱性を抱えているのだから、それを含めて社会の全員が幸福になれるような仕組みをつくることはできないだろうか。サム・アルトマンはこの

101　B・J・フォッグ『実験心理学が教える人を動かすテクノロジ』高良理、安藤知華訳、日経BP
102　ナターシャ・ダウ・シュール『デザインされたギャンブル依存症』日暮雅通訳、青土社
103　SNSとうつ病の因果関係については、うつ傾向の強い若者がSNSに依存しているのかもしれず、専門家のあいだでも異論がある。

壁を、「ユニヴァーサル・ベーシックインカム（UBI）」によって越えようとしている。

経済格差をなくすためにベーシックインカム（BI）の導入を唱える左派（レフト）の論者はたくさんいるものの、彼らの主張には決定的な弱点がある。「そのお金は誰に支払うのか」という問いに答えることができないのだ。

日本国のBIであれば、それを受け取る権利があるのは当然、「日本人」になるはずだ。しかしそうなると、何世代にもわたって日本に生まれ育ったにもかかわらず、在日韓国・朝鮮人は「外国人」なのだから、BIの受給資格がなくなってしまう。

ベーシックインカムが排外主義の道具になることを指摘したのが作家の李《イ》龍徳《ヨンドク》で、近未来の日本を舞台にした小説『あなたが私を竹槍で突き殺す前に』では、「日本ファースト」を掲げる保守政党の女性総理が、リベラルな政策を推進する一方で嫌韓の風潮に乗って外国人を生活保護の対象から外し、極右政党がベーシックインカムの支給対象から在日外国人を除外することを訴えて支持を集めていた。[104]

さらにいえば、BIの受給対象である「日本人」はいくらでも増やすことができる。日本の現行法では、日本人の親から生まれた子どもは日本人になれる（海外で出生した場合は現地の大使館への届け出が必要）。この制度を悪用して、アジアやアフリカ、中南米の

「最貧国」で片っ端から若い女性とセックスして子どもをつくり、認知するだけで多額のＢＩを受け取ることができる。これで簡単に「億万長者」になれるのだから、まともな収入のない日本の男は大挙して海外に移住し、「日本人」をつくりはじめるにちがいない。

こうした事態を避けようとすれば、生物学的な「日本人」の定義を法で定めて、すべての子どもを遺伝子検査し、「日本人率３分の２（あるいは80％）以上の者だけがＢＩの受給資格がある」などと決めるしかない。このように「国民」を支給対象にしたＢＩは、必然的にグロテスクな優生学国家を生み出すのだ。[105]

アルトマンはとてつもなく賢いので、当然のことながら、「誰が受け取るのか」問題に気づいている。だからこそ、地球上のすべての人間に暗号通貨でＢＩを支給することを目指しているのだ。

104　李龍徳『あなたが私を竹槍で突き殺す前に』河出文庫
105　私はこのことを『無理ゲー社会』（小学館新書）などで指摘しているが、現在にいたるまで反論はない。

人間であることの証明

サム・アルトマンの「ワールドコイン財団」は世界の80億人にUBI（ユニヴァーサル・ベーシックインカム）を支給することを目指している。だがこの野心的な計画にも、重大な弱点がある。ボットを使えば、1人で何千件、何万件、あるいはそれ以上のBIを受け取ることができてしまうのだ。

こうした事態を防ぐには、機械と人間とを区別することが必要不可欠だ。これはブロックチェーンの真正性を証明する以前の、PoP（Proof of Personhood：プルーフ・オブ・パーソンフッド）すなわち「人間であることの証明」といわれる。

ブロックチェーンは、中央集権的な組織によらずにデータの真正性を認証できるイノベイティブなテクノロジーだが、同様の方法で「人間であることの証明」はできない。なぜなら、人間は「アナログ」だから。アナログとデジタルの接続問題を、デジタルだけで解決することはできないのだ。――ビットコインでこれまでボットによるトラブルが起きなかったのは、アカウントをつくっても、それだけではユーザーの利益にならなかったからだが、ボットはすでにSNSで大きな問題になっている（そのためイーロン・マスクは、Xで課金によるボット対策を試みている）。

この問題を解決するもっとも簡単な方法は、政府のデータベースと照合することだろう。日本の場合、（原則として）すべての国民が戸籍をもっており、住民登録しているはずなので、戸籍謄本や住民票を提出させれば「人間」だと認証できる。だがこれでは、国家による「監視社会」になってしまう。

生体認証には、指紋、顔、虹彩、静脈などがあり、「わたしがわたしであること」の究極の生体情報はＤＮＡだ。すでにスマホでは指紋認証と顔認証が導入されており、パスワードによる認証よりもセキュリティ強度が上がった（そのため多くの金融機関は、スマホの指紋認証だけで送金手続きを完結させている）。

スマホの生体認証がプライバシー問題にならないのは、データがプラットフォーマーに送られるわけではないからだ。生体情報が格納されているのはデバイスであり、生体認証は、そのデバイスを利用しているのが登録者本人であることを証明しているにすぎない。

キャッシュカードやクレジットカードでは、パスワード（暗証番号）を知っていることが、そのカードの真正な所有者であることの証明になる。だがこれでは、パスワードを忘れてしまったり、第三者に盗まれるなどのトラブルが避けられない。生体認証はパスワードを不要にすることで、こうした課題を解決した。

だとしたら、スマホの生体認証をそのまま利用すればいいのではないか。

残念ながら、この方法はうまくいかない。スマホを使った認証は、そのデバイスが本人によって使用されていることしか証明できないのだ。ユーザーが複数のデバイスを使えば複数のアカウントがもてるし、デバイスを交換したときに別のＩＤ（アクセス記録）をつくることもできる。

そこでワールドコイン財団は、窓口でスタッフが「人間であること」を確認したうえで虹彩情報をスキャンし、（重複することのない）唯一無二の個人ＩＤである「World ID」を付与するという、きわめてアナログな手段を採用することになったのだ。

ソーシャルグラフによる本人認証

クリプト・アナキストは、あらゆる中央集権的な組織を拒否し、アルゴリズムによる信用以外は受け入れない。ワールドコイン財団のプロジェクトが警戒されるのは、ユーザーの虹彩データを悪用しない保証が財団の〝誠意〟以外にないからだろう。

リバタリアンであるヴィタリック・ブテリンはワールドコインの虹彩認証について、「特定の組織がデバイス（Orb）を独占して生体認証するのは中央集権的である」と批判している。だがそのブテリンにしても、人間と非人間を区別するよいアイデアがあるわけではない。

World IDは専用のハードウェアによる本人認証だが、それに代わるものとして、汎用ハードウェアによる本人認証があるとブテリンはいう。スマホのカメラによる虹彩スキャンのようなものをイメージしているのだろうが、先に述べたように、これではデバイスを認証することしかできない。この方式が機能するためには、虹彩情報を固有のアカウントと紐づける中央集権的な組織が不可欠になるだろう。

それとは別にブテリンは、ソーシャルグラフ（人間同士の結びつき）をベースにする本人認証を提唱している。[106] これは「M-of -Nバックアップ」と呼ばれ、ユーザーは（たとえば）8つの実体（エンティティ）を選び出す。一般には家族や友人だが、非営利団体でもよく、このうち5つの組み合わせで本人認証し、秘密鍵を復元することができる。すなわち、5人があなたを「本人」だと認めれば、その社会的関係性を根拠として、アカウントの真正な所有者であると見なすのだ。

106　ブテリン、シュナイダー『イーサリアム』

ソーシャルグラフによって「人間」であることを認証するのはよいアイデアに思えるが、「その5人が人間であることは誰が認証するのか」という問題が生じるだろう。ボット同士がお互いに「人間である」と認証し合う事態は容易に想像でき、結局のところ、政府のような中央集権的組織が発行する証明書か、そうでなければ生体認証に頼るほかないようにも思える。

だがそのWorld IDにしても、ユーザーが死亡したときにアカウントを抹消することができず、いつまでもUBIを支給しつづけることになるのではないか。この問題を解決するには、政府が発行する死亡証明書と突き合わせる以外になさそうだ。それとも「M-of-Nバックアップ」方式で、8人のうち5人が「この人物は死亡した」と申告した場合にアカウントを抹消するというルールをつくるのだろうか。

それ以外にも、認知能力が衰えた高齢者から秘密鍵をだまし取ったり、未成年を脅してWorld IDを取得させ、アカウントを乗っ取るような犯罪の可能性が指摘されている。

テクノ・リバタリアンがUBIを支持する不都合な理由

「すべての国民に一律に現金を給付する」というアイデアがリバタリアンにとって魅力的

なのは、一人ひとりの家計状況（収入や資産、健康状態や扶養家族）を国家が把握せずに実施できる公平かつ効果的な社会福祉政策だとされているからだ。あまり指摘されないが、（リバタリアン型の）ＵＢＩでは、導入にともなって年金や医療保険、生活保護などはすべて廃止されることになる（国家は国民に一律にお金を配る以外、なにもしない）。

巨額の財政支出が必要となるＵＢＩは実現可能性が疑問視されてきたが、いまやそれ以外の理由でも魅力を失いつつある。

アメリカでは低学歴（非大卒）の白人労働者階級でアルコール、ドラッグ、自殺による「絶望死」が増え、平均寿命が短くなるという先進国ではありえない事態が起きている。だがその原因は「経済格差」ではなく、失業によって「生きがい」や「誇り」が失われたことだ。

絶望死を研究したアン・ケースとアンガス・ディートンは、ウォール街やシリコンバレーから多くの大富豪が生まれ、経済格差が拡大する一方の東部（ニューヨーク、ボストン）や西海岸（サンフランシスコ、ロサンゼルス）で自殺者が少なく、工場の閉鎖などで労働者階級が仕事を失い、経済格差が縮小した（みんなが一様に貧しくなった）中西部のラストベルトで絶望死が増えていることを発見した。[107]

トランプ政権の登場を機にアメリカでは社会の分断についての実証研究が進み、いまではほとんどの経済学者や社会学者は、UBIのような現金給付によって社会問題が解決できるとは考えていない。

だとしたらなぜ、アルトマンはこれほどまでUBIにこだわるのか。それは彼が、世界の破滅を恐れるプレッパー（サバイバリスト）だからだろう。

カイフー・リー（李開復）は台湾に生まれ、アメリカの大学でコンピュータサイエンスを学び、アップルやマイクロソフトに勤務したあと、グーグル中国法人の社長を務めた。退職後は中国のスタートアップに出資するベンチャーキャピタルを設立し、大きな成功を収めている。

シリコンバレーの中核にいながらも、ヨーロッパ系白人（およびユダヤ人）が大半を占めるカルチャーを異邦人として観察してきたリーは、UBIについて興味深い指摘をしている。[108]

UBIに熱を上げるシリコンバレーには、新技術によって追い出される人々を心から心配している者も少しはいるだろう。だが、もっと利己的な動機もあるのではないか。

破壊者であり巨万の富を持つシリコンバレーの起業家たちは、事態が暴走しはじめた場合に暴徒の怒りの標的となる。彼らは生々しい恐怖を感じているため、問題の即効薬を前もってさがしはじめたのではないだろうか。

近代国家は警察や軍隊などの「暴力」を独占し、民主政ではそれを統治するのは民衆（デモス）だ。プーチンと対立して逮捕・収監された（さらには見世物にまでされた）ロシアの大富豪（オリガルヒ）ミハイル・ホドルコフスキーを例にあげるまでもなく、どれだけの富をもっていても、国家の暴力に対しては生身の人間は無力だ。世界の破滅、すなわち自らの死を極端に恐れる大富豪のプレッパーは、貧困層にお金を配る以外に、自らの安全を保障する手段はないと考えているのではないだろうか。

とはいえ、このようなネガティブなことばかり指摘しても仕方ないので、最後に、「よりよい世界」「よりよい未来」をつくろうとするテクノ・リバタリアンの魅力的な構想を

107　アン・ケース、アンガス・ディートン『絶望死のアメリカ　資本主義がめざすべきもの』松本裕訳、みすず書房
108　李開復『AI世界秩序　米中が支配する「雇用なき未来」』上野元美訳、日本経済新聞出版

紹介しよう。

ブロックチェーンがつくる都市

「クリプトシティ」はブロックチェーンがつくる都市だが、現在までの社会実験は「シティコイン」のような地域通貨がほとんどだ。地域通貨は1990年代から世界各地で（大きな期待とともに）導入され、一部で「成功」とされるものもあるが、「資本主義を変える」という当初の目的はまったく達成できていない。アナログの地域通貨をデジタルにすれば多少は便利になるかもしれないが、「グローバル資本主義」の途方もない巨大さと比べればその影響力は微々たるものだ。

イーサリアムを使った事例のなかで興味深いのは、アメリカ、ワイオミング州で行なわれている「CityDAO（シティダオ）」だろう。ワイオミングはニューハンプシャー（「自由か死か（Live Free or Die）」が州の公式標語になっている）と並んでもっともリバタリアン的な州のひとつで、2021年7月にDAOを有限責任会社（LLC）として登録できるようになった。[109]

この法律を受けてCityDAOは人里離れた場所に40エーカー（16ヘクタール）の土地を

購入し、それを950の区画に分割されたNFTとして販売した。さらに1万人を上限に市民権もNFT化されており、イーサリアムのマーケットで購入することができる。[110]

市民はCityDAOの不動産を購入できるが、「所有」しているとはいえない。所有に対して、（将来的には）一種の税を課すことが予定されているからだ。

アメリカの経済学者アーノルド・ハーバーガーは、独占による効率損失を研究するなかで、私的所有権を一部制限する「部分所有権」を提案した（ハーバーガー税）。その後、ゲーム理論家のグレン・ワイルがこのアイデアを「COST」として精緻化した。[111]

CityDAOは非中央集権的な民主政を採用しているため、行政機関や監督者は存在しない。あらゆる問題は「ギルド」と呼ばれるフォーラムで討議され、最終的には市民の投票によって決められる。具体的な仕組みはまだ決まっていないようだが、この投票は1人1

109　それ以前の2018年にバーモント州は、ブロックチェーン上の組織を法人（ブロックチェーン基盤の有限責任会社＝BBLLC）として登記できるようにした。

110　https://www.citydao.io/

111　E・グレン・ワイル、エリック・A・ポズナー『ラディカル・マーケット　脱・私有財産の世紀　公正な社会への資本主義と民主主義改革』安田洋祐監訳、遠藤真美訳、東洋経済新報社

票ではなく、（このあと解説する）「クアドラティック投票（ＱＶ：Quadratic Voting）」によって行なわれることになるだろう。これもグレン・ワイルが考案したもので、民主的な意思決定を尊重しながらも、現行の選挙制度よりも市民の意思をより正確に反映できるとされる。

ブテリンはゲーム理論で社会を最適設計しようとするワイルのアイデアに深くコミットしており、イーサリアムのプラットフォームを活用したクリプトシティで、ＣＯＳＴやＱＶの社会実験を行なおうとしている。

私有財産を否定するリバタリアン

グレン・ワイルも１９８５年生まれの「第二世代」で、プリンストン大学で博士号を取得、ハーバード大学、シカゴ大学での教職を経て、現在はマイクロソフト・リサーチ社の首席研究員だ（イェール大学で「デジタルエコノミーをデザインする」というコースを教えてもいる）。両親は民主党支持のリベラルだったが、アイン・ランドとミルトン・フリードマンの著作に触れてから市場原理主義に傾倒したとされる。

『ラディカル・マーケット』はワイルのはじめての著作で、シカゴ大学ロースクール教授のエリック・ポズナーとの共著だ。リチャード・ポズナー（連邦巡回区控訴裁判所判事）は、共和党を支持しながらも、ドラッグ合法化や同性婚、中絶の権利を認める論陣を張った保守系リバタリアンの名物法学者だが、エリックはその息子だ。

リチャード・ポズナーには、経済学者ゲーリー・ベッカーとの多数の共著がある（もともとは2人で共同でブログを書いていた）[112]。ノーベル経済学賞を受賞したベッカーは「20世紀後半でもっとも重要な社会科学者」とされ、ミルトン・フリードマンらとともにシカゴ経済学派（新自由主義経済学）を牽引し、レーガン政権の経済政策に大きな影響を与えた。『ラディカル・マーケット』の謝辞には、「グレン（・ワイル）にとっては、この非常に大胆なアイデアを追求すれば、研究者としてのキャリアを犠牲にするリスクがあり、出版するのも困難だったのだが、そんな状況の中でゲーリー・ベッカー（略）が強く背中を押してくれた」とある。ベッカーは2014年に世を去っているから、シカゴ大学時代に最晩年のリバタリアン経済学者の知己を得たのだろう。リチャード・ポズナーの息子エリックとも、ベッカーの縁で知り合ったのかもしれない。

112　ゲーリー・S・ベッカー、リチャード・A・ポズナー『ベッカー教授、ポズナー判事のブログで学ぶ経済学』鞍谷雅敏、遠藤幸彦訳、東洋経済新報社このようなことをわざわざ書いたのは、「ラディカル・マーケット」のデザイン（設計）が、一見、リバタリアニズムの対極にあるからだ。なんといっても、ワイルは私有財産を否定しており、それによって「共同体（コミュニティ）」を再生しようとしている。孫のような若者のそんなラディカルなアイデアを、新自由主義経済学の大御所ベッカーが後押ししたというのはなんとも興味深い。

市場を再設計する

ワイルは、現代の先進国が抱える問題は「スタグネクオリティ（stagnequality）」だという。スタグネーション（stagnation）は「景気停滞」のことで、これにインフレ（inflation）を組み合わせると、経済活動の停滞と物価の持続的上昇が併存する「スタグフレーション（stagflation）」になる。

それに対して景気停滞に「不平等 inequality」を組み合わせた造語がスタグネクオリティで、経済成長の減速と格差の拡大が同時に進行することだ。その結果、アメリカではリベラル（民主党支持）と保守（共和党支持）の2つの部族（党派）が互いに憎悪をぶつけあうようになった。

この混乱を目の当たりにして、近年では右も左も「グローバル資本主義」を諸悪の根源だとして、資本主義以前の人間らしい共同体（コミューン、コモンズ、共通善）をよみがえらせるべく「共同体主義（コミュニタリアニズム）」を唱えている。

だがワイルは、こうした「道徳と互酬性、個人的評判による統治（モラル・エコノミー）」は、狩猟採集社会や中世の身分制社会ではそれなりに機能したかもしれないが、現代の巨大化・複雑化した資本主義自由経済では役に立たないという。取引の範囲が広がり、規模が大きくなると「モラル（道徳）」が機能しなくなるからで、大規模な経済を組織するアプローチとして、市場経済に代わる選択肢はないのだ。

ワイルは、「市場は資源を最適に分配する並列処理のコンピュータ」だという。あまりにも巨大化・複雑化した現在の市場／社会をモラルによって管理することはもはや不可能になっている。だとすれば、「市場というコンピュータ」を最適チューニングして（市場がより多くの富を生み、その富をより公正に分配することで）最大多数の最大幸福を達成するように「デザイン」するのが唯一の道になる。

こうしてワイルは、「脱資本主義」の代わりに、オークションを生活に取り込む「メカニカル・デザイン」で市場を再設計することを提案する。なぜならオークションこそが、市場を通した資源配分の機能をもっとも効果的にはたらかせる方法だからだ。

ワイルは、「真に競争的で、開かれた、自由な市場を創造すれば、劇的に格差を減らすことができて、繁栄を高められるし、社会を分断しているイデオロギーと社会の対立も解消できる」として、これを「市場資本主義（Market Capitalism）」を超える「市場急進主義（Market Radicalism）」と呼ぶ。その実現を阻むのが「私有財産」だ。

共同所有自己申告税COST

私的所有権こそが自由な市場取引の基礎だとされているが、開発や道路の拡張に反対する頑迷な地権者を考えれば、いちがいにそうともいえない。この地権者は、開発業者が十分な金額を払うといっても拒否し、所有権を盾に適正な取引を妨害し、お互いが利益を得る機会をつぶしているのだ[113]。

これはけっして奇矯な主張ではなく、アダム・スミスやジェレミ・ベンサム、ジェームズ・ミルなどは封建領主の特権と慣習が財産の効率的な利用の障害だと考えていた。限界革命を主導した「近代経済学の3人の父」のうち、ウィリアム・スタンレー・ジェヴォンズは「財産とは、独占の別名にすぎない」と述べ、私有財産制を深く疑っていた。レオン・ワルラスも「土地は個人の所有物であると断じることは、土地が社会にとって最も有益な形で使われなくなり、自由競争の恩恵を受けられなくなるということだ」と書いている。

ワルラスは、「土地は国家が所有して、その土地が生み出す超過利潤は「社会的配当」として、直接、あるいは公共財の提供を通じた形のいずれかの方法で公共に還元するべきだ」と述べ、これを「総合的社会主義」と呼んだ。マルキシズムとのちがいは、ワルラスが政府による経済計画を「計画者自身が独占的な封建領主になるおそれがある」として敵視し、「土地は競争を通じて社会が管理するようにし、その土地が生み出す収益は社会が享受するようにしたい」と考えていたことだ。

「私有財産否定」はマルクス経済学の専売特許ではなく、近代経済学のなかにもその思想は脈々と流れている。

19世紀の独学の政治経済学者ヘンリー・ジョージは、土地を共同所有するうえで、国有化より「もっと単純で、もっと容易で、もっと穏やかな方法」として、公共の用途のため

113 以下のCOSTの説明は『無理ゲー社会』での記述と重なるが、本書にとってもとても重要なので再掲する。

に地代を租税として徴収することを説いた。これは一種の固定資産税だが、その税率は「地代の100%」で、これによって所有者は、「土地の上に建てたものの価値はすべて享受できるが、土地そのものの価値については、その全額を政府に払わなければいけなくなり、土地を借りた人とまったく同じことになる」。

ワイルが提唱する「共同所有自己申告税COST(Common Ownership Self-assessed Tax)」は、このアイデアをより洗練させたもので、私有財産に定率の税（富のCOST）を課す。その税率は年7%とされているので、それをもとに「COSTの世界」を想像してみよう。

バンクシーの作品に毎年2億円支払うか

現代美術でもっとも人気のあるバンクシーは、商業主義を批判しながら、その作品はとてつもない値段で取引されている（2021年3月にクリスティーズに出品された「Game Changer」の落札額は1675万8000ポンド、約25億円）。これについては、「それだけの価値がある」というひとも、「たんなるマーケター」と見なす者もいるだろう。

だがCOSTでは所有物に年7%の税がかかるのだから、この作品を落札した美術収集家は、毎年1億7500万円を国庫に納めなくてはならない。逆にいえば、バンクシーの絵を自宅の居間に飾るのに、これだけのコストを払う価値があると思うひとだけが、この値段で落札するのだ。

こうして、「バンクシーの作品に価値があるのか、ないのか」という論争は意味を失う。毎年2億円ちかくを支払うのなら、所有者にとってそれだけの価値があるのは間違いない。

これは、私的に所有されるすべての美術品・工芸品にあてはまる。もちろん、そんなCOSTは払えないという所有者はたくさんいるだろうが、その場合は美術館・博物館に寄贈すればいい。

ボルドーやブルゴーニュのワインには1本数百万円するものもある。だがCOSTの世界では、ワインコレクターはその価値の7％を毎年支払わなければならない。この場合、税を逃れるもっともかんたんな方法は、その年度内に飲んでしまうことだ。

この単純な例からわかるように、私的所有物にCOSTが課されると富の概念が変わり、コレクションは意味を失う。あらゆるモノは「保有する価値」ではなく「使用する価値」だけで判断されることになるのだ。

ワイルの構想では、すべての個人と企業が、所有物を一つずつブロックチェーンの台帳に記載し、自分で決めた評価額を入力する。だったら、課税を避けるには低い評価額にすればいいと思うだろうが、ブロックチェーンの「透明性」の原理によって、すべての評価額は市場に公開されており、それを上回る価格を提示する者がいれば所有権は無条件で売り渡される（拒否権はない）。25億円で落札したバンクシーの絵にCOSTを払うのがバカらしいと思って10万円の評価額を入力すれば、たちまち購入希望が殺到し、そのなかでもっとも高額を提示した者が手に入れるのだ。

逆に、その絵をぜったいに手放したくないと思えば、購入希望者が応じられないような高額の評価にすればいいが、そうなると多額のCOSTを納めなくてはならなくなる。このようにして、すべてのモノは自由で開放的な競争市場が評価する最適価格で取引され、もっとも効率的に活用されることになるのだ。

COSTの世界では、都心の真ん中で空き地を駐車場にしておくようなムダなことはできなくなる。その土地の活用にもっとも高い値段をつけた業者が購入し、一定の規制の下で、COSTを上回る利益が出るように開発することになるだろう。

1億円の高級マンションが3000万円台に

COSTは私有財産制を否定するわけではないが、富の保有にコストがかかることで、その実態は「所有」から「レンタル」へと変わっていく。不動産取引では、ひとびとは所有権を購入するというよりも、所有によっていくらのCOSTを支払うかを基準にするようになるだろう。

これは自由市場を維持したまま、不動産が国家あるいは共同体の所有になって、借り主が賃料を支払うのと同じだ。そこではどのようなことが起こるのか、あくまでも私の理解だが、ちょっと想像してみよう。

子どもが私立中学校に合格して、学校の近くに住み替えたいとする。パソコンやスマホで希望する地区や賃料、間取りなどの基本情報を入力すると、AIがあなたに合ったマンションや一戸建てのリストを抽出して表示する。そのCOSTが月額5万円だとして、あなたが「OK」のボタンをクリックすると、そこに住んでいたひとは無条件でその家をあなたに売り渡して出て行くことになる（実際には1カ月程度の転居期間が必要だろう）。

こうしてあなたは、希望の物件に引っ越すことができた。ここで当然、「引っ越してすぐに、他の希望者から購入申請されたらどうなるのか？」との疑問が出るだろう。だが、そんなことは起こらない。

新しい住居が気に入って、すぐに転居したくないと思えば、AIでそのためのCOST（家の評価額）を算出してもらえばいい。それが月額5万5000円であれば、そのCOSTを支払っているかぎり、検索結果にあなたの家が表示されることはない。こうして、相場よりすこし割高のCOSTを支払うことで、あなたはずっといまの住居に住みつづけることができる。

子どもが中学を卒業し、転居してもかまわなくなれば、AIに最安値のCOSTを算出してもらおう。これでCOSTを（たとえば月額5000円）引き下げることができるが、購入希望者がいれば他の物件に転居しなければならない。

このように考えれば、COSTが不動産市場を劇的に効率化させることがわかるだろう。すべてのひとが、予算に応じて、もっとも便利なところに気軽に住み替えることができるのだ。

「富の所有」から「使用価値による保有」に変わると、不動産価格は大幅に下がるはずだ。ワイルの試算では、これによって不動産価格は3分の2から3分の1になる。現在2000万円台のファミリータイプのマンションは700万円程度になり、COST（月額家賃）は4万円、1億円の高級マンションも3000万円台まで下がり、月額20万円以下のCOSTで住めるようになる。一部の富裕層が使いもしない不動産を買いあさるのではなく、土地は共有され、必要なひとたちに公正に配分されるのだ。

だがこれは、国家による土地の「中央管理」ではない。それとは逆に、管理はラディカルに分散される。COSTは「社会と保有者で所有権を共有すること」であり、「柔軟性の高い使用市場という新しい種類の市場をつくり出して、恒久的な所有権に基づく古い市場に取って代わるものとなる」のだ。

COSTはモノに対して課税され、「人と人のつながりには課税されない」。モノに過剰な愛着を持つことにペナルティが科されることで価格が下がり、とくに低所得層では、いまよりもずっと多様なモノ（美術品やヴィンテージワイン）を手軽な価格で楽しめるようになる。しかしそのことによって、ひとびとは逆に（課税されない）人間関係により大きな関心を払うようになるだろう。

COSTを全面的に導入すれば、社会の富を毎年何兆ドルも増やすことができる。それを国民に分配すると、UBI（ユニヴァーサル・ベーシックインカム）に似た制度になる。経済が成長すると、COSTが生み出す歳入が再分配される。他人の繁栄から全員が恩恵を受ける世界では社会的信頼と共同体への愛着が育《はぐく》まれ、市民的関与が促されるとワイルはいう。

すなわち、「自由」「競争」「開放性」という市場の機能を徹底することで、新しい「ラディカルなコミュニティ」が誕生するのだ。

「平方根投票」によるデモクラシー

COSTによる「ラディカル・マーケット」に次ぐワイルのアイデアは、「ラディカル・デモクラシー」だ。これは「平方根（radical）による投票システム」でもある。[114]

オークションの背後にある思想は、「自分の行動が他人に課すコストに等しい金額を個々人が支払わなければいけない」だ。選挙をオークションと見なせば、あなたが投票した候補者が当選した（あなたが「落札者」になった）場合、落選した候補者に投票したひとが被った損害を補償しなければならない。そのときにあなたが支払う金額は、あなたの投票によって負けた（落選した）候補者が仮に当選したとしたら、その候補者に投票したひとたちが獲得していたであろう価値に等しくなるはずだ。

これを実現する方法がQV（クアドラティック投票）で、二次（Quadratic）の投票ルールは「公共財に影響を与える個人が支払うべき金額は、その人が持つ影響力の強さの度合いに比例するのではなく、その2乗に比例する」となる。[115] QVの投票方式は、以下の点で1人1票とは異なる。

- **すべての有権者に一定数のボイスクレジット（投票権）が割り当てられる**
- **投票する際は、投票数の2乗のボイスクレジットが必要になる**
- **投票は支持する候補だけでなく、支持しない候補へのマイナス票に使える**

これでなにが起きるか、具体的に見てみよう。あなたが36ボイスクレジットをもっているとして、1票＝1クレジットなら、36人の候補者にプラスあるいはマイナスの投票ができる。

だが誰かに（プラスあるいはマイナスの）2票を投じようとすると4クレジット、3票なら9クレジット、6票だと36クレジットが必要になる。特定の候補に6票を投じるとき

114 radicalには「根源的・急進的」のほかに数学の「累乗根」の意味があるが、QVのルールは「投票数の2乗」なので「平方根」とする。

115 これについての数学的な説明は『ラディカル・マーケット』を読んでほしい（さほど難しくはない）。

は、36人の候補に1クレジットずつ投票するのに比べて、投票数が6分の1になってしまうのだ。

このQVには、「熱心な少数者が、無関心な多数者に勝てる」という特徴がある。これを夫婦別姓や同性婚で考えてみよう。

世論調査によれば、いずれも国民の大多数が賛成するか、どちらでもいい（あえて反対しない）と思っている。それにもかかわらずなかなか進まないのは、一部の保守政治家が「日本の伝統を破壊するな」と頑強に抵抗しているからだ。

このとき、夫婦別姓や同性婚を望む「当事者」は少数派（マイノリティ）だが、この政策に大きな利害をもっている。QVであれば、このひとたちは強力なグループを形成して、自分たちの希望を阻む政治家に全員がマイナス6票を投じることができるだろう。

そうなると保守政治家は、このマイナスを挽回するのに6票を集めなくてはならないが、ほとんどの有権者はこの問題に無関心なので、「イエ制度を守れ」と叫んでも、貴重なボイスクレジットをすべて投じてもらうことは期待できない。マイノリティが「1人＝マイナス6票」なのに対し、マジョリティからは「6人×プラス1票」を獲得しなければならないのだ。

このようにしてQVは、有権者の平均的な民意に反して（特定の団体や主義者のために）極端な主張をする政治家を排除する効果がある。

だがこれは、マイノリティの主張がなんでも通るということではない。

死刑制度については日本でも熱心な廃止運動があるが、国民の多くは死刑の存続を求めている。このような場合は、廃止派が存続派の有力政治家に「1人＝マイナス6票」を投じても、その政治家は容易に、（36人のうち）6人以上から「プラス1票」を集めることができるだろう。

これが「投票数を増やそうとするとコストがかかる」という意味で、マイノリティの極端な主張も抑制され、多数派の有権者の意思に反するような結果にはならない。死刑廃止論者のすべきことは、選挙で気に入らない政治家を落選させることではなく、夫婦別姓や同性婚のように、有権者の大半が「死刑廃止」か「どちらでもいい」と思うように価値観を変えていく努力になるだろう。

QVならトランプもヒトラーも選ばれなかった

ワイルは、2016年の米大統領選の共和党予備選で、QVを導入したらどうなったかをシミュレーションしている。それによると、極端な政治的見解を排除する効果によって、中道派が大統領選の候補者に選ばれ、トランプは最下位になったはずだという。トランプを拒絶する有権者がマイナス票を集中させる一方で、積極的にトランプを支持する共和党員はそれほど多くなかったからだ。

それにもかかわらず「1人＝1票」でトランプが勝ったのは、共和党員の多くが「ヒラリーだけは嫌だ」と思っていたからだ。同様にヒラリー・クリントンは民主党支持者のあいだでも好かれてはいなかったが、「トランプだけは嫌だ」という圧力によって予備選を勝ち上がった。このようにして「嫌われ者同士」で大統領の座を争うことになったことがトランプ大統領誕生につながったのだという。

そのように考えれば、アメリカ社会は党派によって分断されているのではなく（有権者の大半は中道路線を支持している）、極端な候補が勝者になる選挙制度が社会を分断していることになる。

同様に歴史家は、1930年代のドイツ国民のうち極右を一度でも強く支持した者は10％にすぎなかったとしている。それにもかかわらずヒトラーが選挙で選ばれたのは、有権者の多くが「共産党だけは嫌だ」と思っていたからだ。ワイマール憲法がQVの選挙制度を採用していたら、ヒトラーが政権を握ることもなく、第二次世界大戦は起きなかったかもしれない。

ワイルは、選挙にQVが導入されると、「地域の共同体で、オンラインのソーシャルネットワークで、国の政府の下で、本当の意味で生活を共有し、協力し合う方向へと進む道が開かれる。すると、豊かな公的生活が形成され、社会的関係が自然に発展していく」と述べる。ここでも、メカニカル・デザインによってコミュニティが生まれるのだ。

先に述べたように、ヴィタリック・ブテリンの〝原体験〟は、イーサ流出事件でコミュニティの大多数の支持を得て、ブロックチェーンの歴史を書き換えたことだ。ここから、(デモクラシーに懐疑的なピーター・ティールなど第一世代のテクノ・リバタリアンとはちがって)統治の正統性をつくり出すのはアルゴリズムではなく、共同体の構成員が納得するような民主的な制度＝民意の集約システムだと考えるようになった。「第一世代」と「第二世代」の民主政に対するこの評価のちがいは興味深い。[116]

116　ここで紹介したCOSTやQVは、現実世界よりもVR(ヴァーチャルリアリティ)の世界で先に実装されることになるだろう。

金銭で票を買うのは公正か

それ以外にもワイルは、移民労働力の市場を創造するビザ・オークション（個人間ビザ制度ＶＩＰ）、機関投資家による支配を解く反トラスト規制、プラットフォーマーに「労働としてのデータ（個人情報）」の対価を払わせるデジタル労働市場など、さまざまな斬新なアイデアを提案している。たとえばＩＴ企業がデータの対価をユーザーに支払えば、「4人世帯の所得の中央値は2万ドル（約300万円）以上増える」という。

ワイルは、将来的にはＱＶに仮想のクレジットではなく金銭を使うことまで構想している。この場合も票の価格は2乗になるので、1票が1ドルだとすると、1000票を投じるのに100万ドル（1ドル×1000票×1000）が必要になる。これだと一部の富裕層が政治を支配してしまうが、「公的な問題が私的な問題よりも重要である市民が、ボイスクレジットの限られた予算にしばられることなく、自由に意見を表明できるようになる」のはよいことかもしれないとワイルはいう。すくなくとも、コストを支払う気もなく好き勝手なことをいう者たちは退場していくだろう。

そのうえ投票で支払われた金銭は、共同体が受け取って市民に再分配される。現実の政治では、富裕層は寄付を通じて大きな影響力を行使し、その利益は一部の特権層が独占している。それに比べれば、「豊かな人が貧しい人にお金を払って、政治的な影響力を手に入れる」QVの方がよほど公正ではないだろうか。

ラディカル・マーケットの下では、すべてのモノが「使用価値」で評価されることになるので、資産による格差はなくなる。それにもかかわらず、誰もが平等になるのではなく、わずかなCOSTしか支払えないひとと、多額のCOSTを払って優雅な生活をするひとがいるだろう。なぜなら、「個人が生まれもった能力」にはちがいがあるから。COSTが実現する「自由で公正な市場」では、経済格差は「能力格差（メリトクラシー）」のみから生じるのだ。

その格差をなくしたいのなら、「COSTを人的資本に拡張する」ことが考えられる。だが、大きな才能をもつひとに、才能に応じてCOST（税）を支払わせることができるのか、ワイルも懐疑的なようだ。

自分とのたたかい

映画『X-MEN』シリーズでは、ミュータントたちはつねに何者かを敵としてたたかってきた。マグニートーは自分たちを抑圧する人類（マジョリティ）を滅ぼして、マイノリティが「自分らしく生きられる」自由な世界をつくろうとした。プロフェッサーXは、人類とミュータントが共存できる世界を理想として、マグニートーたちの陰謀とたたかった。――シリーズが進むと、プロフェッサーXとマグニートーは協力して、より大きな敵（古代エジプトを支配した〝最初にして最強のミュータント〟など）とたたかうようになった。

だがX-MENの「第二世代」の物語である『ニュー・ミュータント』では、（主に製作予算の問題だと思うが）善と悪とのたたかいという構図はなくなる。だとしたら、外界から隔離された病院で、若者たちはいったい何とたたかったのだろうか。

主人公の少女ダニーは、家族を失って病院に連れてこられたものの、自分がどのような能力をもっているか知らなかった。

だが、超能力を判定するために薬物を投与された夜、奇妙なことが起きる。ミュータントの若者たちのところに、自分を犯そうとした男たちや、自分が殺した神父、自分が焼き殺した恋人、死んだ父親や鉱夫たちが現われ、襲ってきたのだ。

ダニーの能力というのは、誰もが抱えている恐怖を現実化させることだった。それを知った管理者のレイエス博士は、この恐るべきパワーを目覚めさせてはならないという指示を受けて、ダニーを処分しようとする。

だがそのとき、巨大な熊のモンスターが現われ、レイエス博士を食い殺し、すべてのものを破壊しはじめる。ダニーは子どもの頃からずっと、熊が恐ろしかった。ある日、その恐怖が現実化して父親や家族を殺したのだ。

映画では最後に、仲間たちの協力を得てダニーが恐怖を克服し、モンスターをコントロールできるようになるが、『X-MEN』の新シリーズとして企画されこの作品の結末は象徴的だ。[117]

テクノ・リバタリアンの理想を阻むのは国家や中央集権的な組織のような「敵」ではなく、わたしたちの進化的な制約であり、認知的な脆弱性だ。その欠陥を抱えながらも、とてつもなく賢いマイノリティたちは、強大なテクノロジーのちからで「よりよい世界」「よりよい未来」をつくろうとしている。

革命のような「大きな物語」の幻想がすべて潰《つい》えたいま、テクノ・リバタリアニズムが「世界を変える唯一の思想」になった。それが生みだすものがユートピアになるか、ディストピアになるのかを決めるのは、わたしたちの「自分とのたたかい」なのかもしれない。

117 本来は三部作の予定だったが、公開時がコロナ禍で思ったほど興行収入が伸びず、打ち切りになったようだ。

PART X　世界の根本法則と人類の未来

わたしたちは、人類史上まったく新しい時代を生きている。まずはそのことを〝見える化〟してみよう（図4）。

イエス・キリストが生誕したとされる紀元1年から（おそらくは農耕が始まった1万2000年前や、人類の祖先が狩猟採集で暮らしていた数百万年前から）紀元1700年代後半まで、1人あたりの所得はまったく変わらなかった。

もちろんこの間も文明は進歩し、生産性を向上させるさまざまな道具が考案されてきた。それによって人口が増え、都市が形成され、国家がつくられたが、社会全体の富の大きさが一人ひとりの生活にそのまま反映されるわけではない。当たり前の話だが、人口が増えればそのぶんだけ1人あたりの取り分は減ってしまうのだ。

グローバルな経済格差は縮小した

1798年、イギリスの経済学者トマス・マルサスは、のちに大きな影響を与えることになる『人口論』で、「人口は幾何級数的に増加するが生活資源は算術級数的にしか増加しないので、生活資源は必ず不足する」という暗鬱な未来を予測した。

マルサスは、当時のリベラル（理想主義者）が唱えていた社会改良や貧困の救済は、人

図4　紀元後の世界各地の1人あたりの所得の推移

（オデッド・ガロー『格差の起源』より作成）

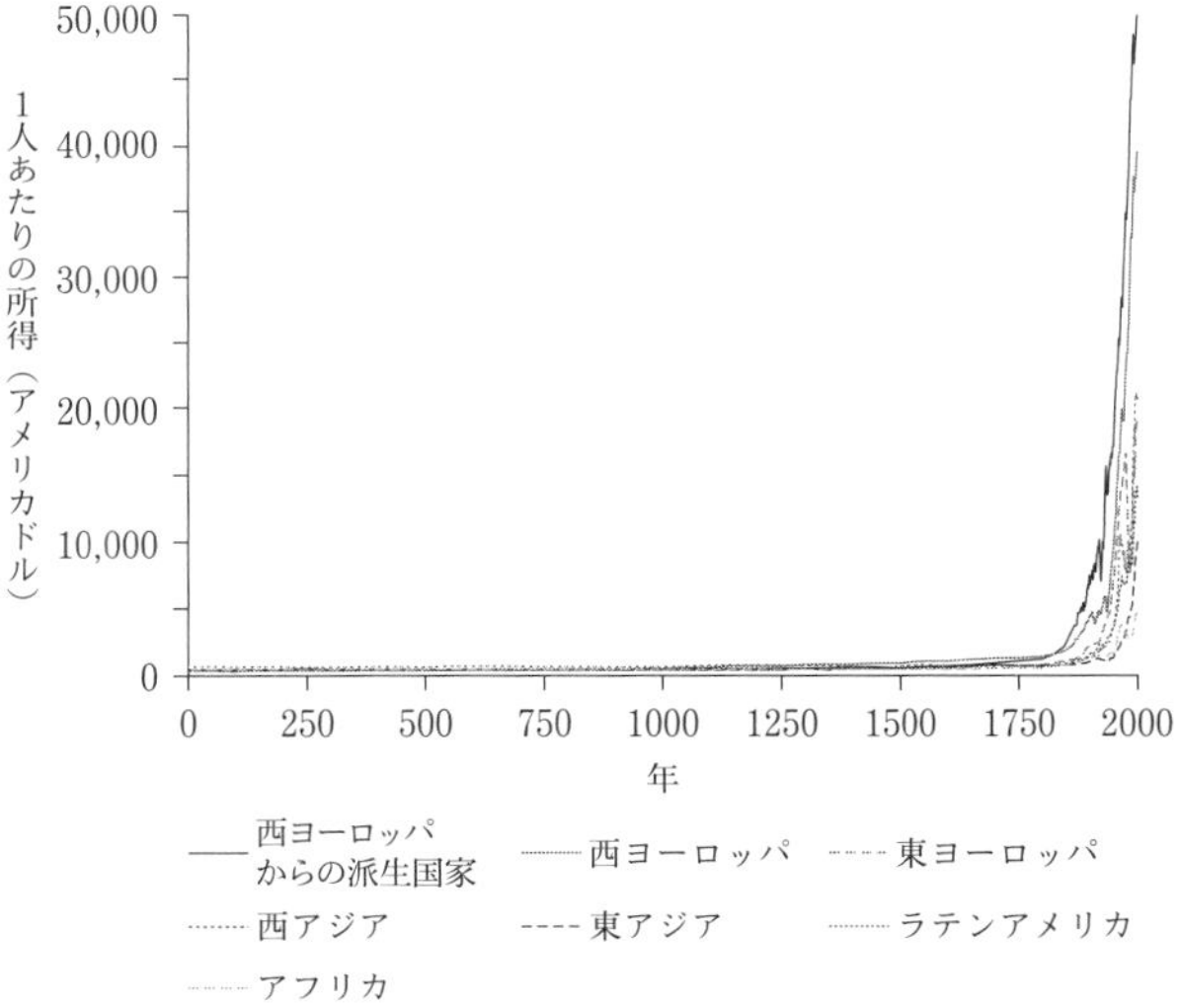

口を一時的に増やすだけだと考えた。それはいずれ食料やエネルギーの枯渇（成長の限界）に突き当たり、戦争や内乱、飢饉や疫病によって多すぎる人口は調整されることになる。「よりよい社会」「よりよい未来」をつくろうとする啓蒙主義者の努力は徒労なのだ。

図4でわかるように、マルサスの指摘は過去1800年間（あるいは数百万年間）ずっと正しかった。なにが起きたところで、ほとんどのひとはずっと貧しいままなのだ。

だがマルサスが『人口論』を書いていた頃、イギリスをはじめとする西ヨーロッパや、西欧から派生したアメリカなどの国で驚くべきことが起きていた。社会の富が爆発的に拡大し、それにともなって一人ひとりのゆたかさが指数関数的（エクスポネンシャル）に増えはじめたのだ。わたしたちはこれが産業革命の成果であることを知っているが、その渦中にいたマルサスはそれがどれほど途方もないことか気づくことができなかった。[118]

経済格差（不平等）の元凶として「グローバル資本主義」を批判するのが流行《はや》っているが、図4が示しているのは、欧米諸国につづいて東・西アジアや東ヨーロッパ、ラテンアメリカやアフリカでも1人あたりのゆたかさの指数関数的な拡大が始まっていることだ。中国やインドの十数億のひとたちが中流層に加わったことで、グローバルな経済格差は産業革命以降ではじめて縮小した。[119]

ところが、グローバル化によって貧しい国がゆたかさにキャッチアップしてきたのと同時に、ゆたかな国の中流層（労働者階級）が脱落しはじめた。こうして欧米諸国では移民に反対するポピュリズムが猛威をふるい、2016年にイギリスはEUからの離脱を決め、アメリカではトランプ政権が誕生することになった。

「封建制」に戻ることはない

氷を熱すると水になり、さらに熱すると水は水蒸気になって大気中に発散する。このように、同一の物質が別の相（フェイズ）に変わることを相転移という。産業革命は人類史における相転移で、それ以前とそれ以降を同列に語ることはできない。

不平等が拡大し社会が階層化したとして、これを「新しい封建制」だとする者もいる。[120]こうした議論が不毛なのは、相転移後の社会が相転移前の過去に戻ることはないからだ。

キリスト誕生前後のローマ人が中世のヨーロッパに1000年以上タイムスリップしたとしても、最初は驚くだろうがすぐに新しい環境に馴染むだろう。中世は古代の延長で、ひとびとは同じような仕事をして、同じような家に住み、暮らしはやはり貧しかった。だが江戸時代の住民が現代の東京に200年ほどタイムスリップしたら、異世界に放り込ま

118　オデッド・ガロー『格差の起源　なぜ人類は繁栄し、不平等が生まれたのか』柴田裕之監訳、森内薫訳、NHK出版
119　ブランコ・ミラノヴィッチ『大不平等　エレファントカーブが予測する未来』立木勝訳、みすず書房
120　ジョエル・コトキン『新しい封建制がやってくる　グローバル中流階級への警告』中野剛志解説、寺下滝郎訳、東洋経済新報社

れたように途方に暮れるだろう。

それにもかかわらずなぜ、「新しい封建制」「暗黒啓蒙」「新反動主義」などの言葉が出てくるのか。それは、人間の脳に認知的な制約があるからだ。わたしたちの脳は数百万年続いた旧石器時代の環境に最適化するようプログラムされており、環境の変化に合わせて自動的に更新されるようにはなっていない。その結果、人類史的に未曾有の状況に対しても、旧石器時代の古いプログラムで対処するしかないのだ。

自分たちが奉ずる正義を侵す（と思われる）集団に対しては、戦争やテロによって殺戮《さつりく》することを厭《いと》わない。近隣に言葉や外見の異なる移民が増えてくれば排斥しようとし、未知の感染症が広まれば感染者を差別し排除する……。

こうした行動（人間の本性）だけを見れば、結果的に過去（封建制）に戻ったように見えるかもしれないが、これでは世界が決定的に変わったことを見落としてしまう。こうした「歴史主義」からは、有用な知見はなにひとつ得られないだろう。

世界の秘密「フラクタル」

数学者のブノワ・マンデルブロはアインシュタインやフォン・ノイマンと並ぶ20世紀が

生んだ天才で、（ほぼ）独力で世界の秘密を解き明かした。[121]

19世紀までの人類は、因果関係で世界を理解するしかなかった（その到達点がニュートン力学）。フランシス・ゴルトンやカール・ピアソン、ロナルド・フィッシャーらヴィクトリア時代の「優生学者」は、正規分布や標準偏差などで世界を統計的に把握する方法を確立し、科学の地平を大きく切り開いた（その到達点が量子力学）。

だがマンデルブロは、この世界には単純な因果律や正規分布の統計学では説明できない事象が満ち溢れていることに気づいた。この奇妙な分布は、ナイル川の氾濫、よく使われる単語（the や to）とめったに使われない単語（steatopygic：臀部に多量の脂肪がついた）の出現頻度、海岸線やカリフラワー、雪の結晶の形状、さらには宇宙の星雲の分布にいたるまで、ありとあらゆるところで見つかるのだ。

ある形状が分割されて一段小さい複数の同じ形状が現われ（自己相似性）、それが繰り返されることをマンデルブロは「フラクタル」と名づけた。そのかたちは正規分布に似ているものの、統計的に予想されるよりも極端なことがずっと起こりやすい（数学的には

121　ベノワ・B・マンデルブロ『フラクタリスト　マンデルブロ自伝』田沢恭子訳、早川書房

図5　ロングテールの世界

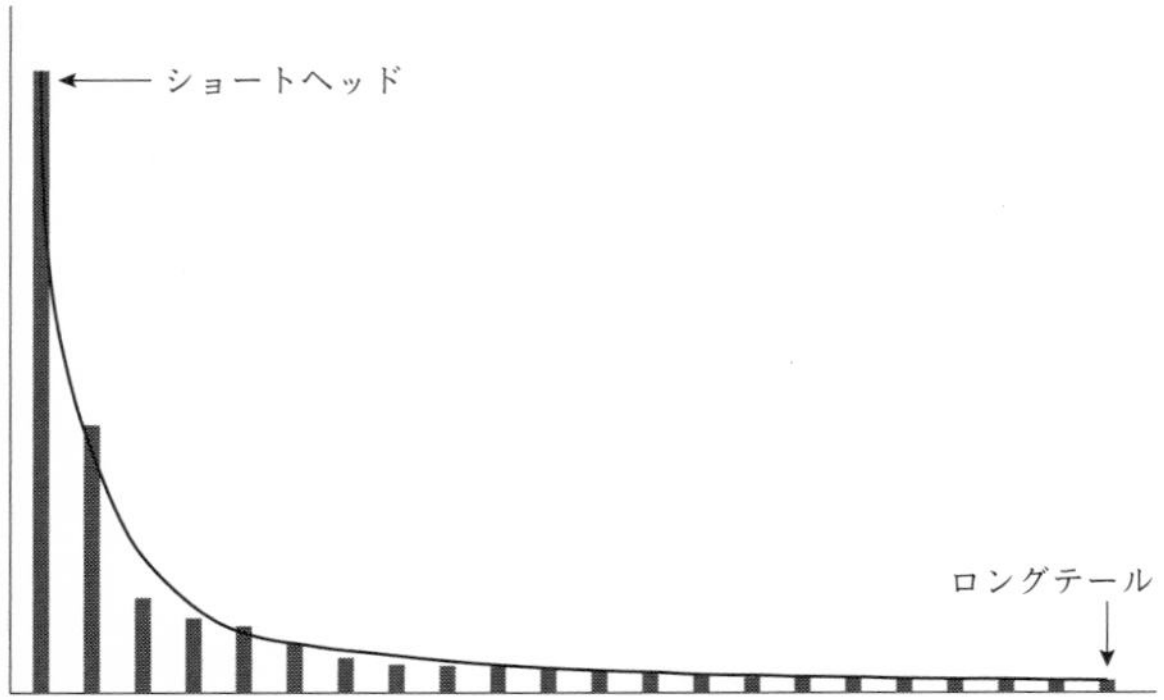

「べき分布」)。正規分布曲線（ベルカーブ）のテール（尾）が長く延びることから「ロングテール」とも呼ばれる（図5）。

マンデルブロは、この新しい法則が人間の活動＝社会にも見られることに気づいた。株式取引のチャートは典型的なフラクタルで、年次、日次、リアルタイムと時間軸が変わっても、細かな騰落を繰り返しながら大きな波を描き、ときに極端なこと（暴騰や暴落）が起きる同じような図形になる。

世界の根本法則「コンストラクタル」

マンデルブロは、世界の本質はフラクタル（複雑系）で、正規分布は要素同士の相互作用が限定された特殊なケースであることを発見した。これは大きなブレークスルーだったが、なぜ世界がフラクタルになるのかを説明することはできなかった。

物理学者（熱力学）のエイドリアン・ベジャンは、電子機器の回路から熱を逃がすための設計が、河川が平地で分岐し海へと流れ込んでいく〝デザイン〟と同じであることに気づいた。ここから独力で考察を進めたベジャンは、世界の根本法則（第一原理）として「コンストラクタル法則」を唱えるようになる。[122]

ベジャンによれば、生物であれ無生物であれ、あるいは微細な分子から広大な宇宙にいたるまで、この世界に存在するすべての物質（もちろん人間も含まれる）はひとつの単純な規則に従っている。それが、「流れがあり、かつ自由な領域があるのなら、より速く、よりなめらかに動くように進化する」という原理で、これには例外がない。

地球という生態系では、太陽から受ける熱量が赤道付近と極地で異なることで水（海）や空気（大気）の流れが発生する。すると魚は、水の流れのなかでもっと速く、なめらかに移動できるよう身体を流線形に進化させ、鳥は翼によって重力にさからって上昇し、大

122　フラクタルが「分割」なのに対して、コンストラクタルは「配置」を含意している。

気の流れのなかを飛行できるよう進化した（陸上の動物は、重力と地面の摩擦に抗してより速く動くために、四肢を動かして小刻みにジャンプするよう進化した）。

これは生物だけの話ではない。飛行機や船は、空や海でより速く、よりなめらかに移動するよう、鳥や魚と同じような形状になっていった。コンストラクタル法則は、生物か無生物かにかかわらず、同じ系（流れ）のなかに置かれれば同じような「かたち」に進化することを示している。[123]

自由から階層性が生まれる

進化（エボリューション）とは「展開する」というラテン語に由来する言葉で、古来、ものごとには不変の本質があり、それが展開して動植物や自然のさまざまな形態を生み出すと考えられた。その後、ダーウィンが自然選択によって生き物の進化の仕組みを解明すると、「進化」という言葉を生物以外に使うことは誤用とされるようになった。

だがベジャンは、「進化」を本来の意味に戻すべきだという。ダーウィン以来、進化には目的がないとされたが、コンストラクタル法則では、生物だけでなく世界に存在するすべてのものが、「流れ」と「自由」があるかぎりにおいて、「より速く、よりなめらかに動く」という目的に向けて進化するのだから。

コンストラクタルは物理法則なので、環境（流れと抵抗）と自由度がわかれば、そのなかで無生物（河川）、生物（魚・鳥・陸上動物）、機械（船や飛行機）にかかわらず、それがどのように進化するかを計算し、予測できる。

こうしてベジャンは、世界の成り立ちをシンプルな物理法則で説明できるというきわめて刺激的な主張をする。そのなかでも興味深いのは、自由と階層性が一体のものだという指摘だろう。

山間部から大量の水を運んできた大河は、平野部にいたると細かな支流へと分岐（階層化）し、広大な三角州をつくる。フラクタル構造になることでより多くの水をよりなめらかに海に放出できるからだ。[124]

123　エイドリアン・ベジャン、J・ペダー・ゼイン『流れとかたち　万物のデザインを決める新たな物理法則』木村繁男解説、柴田裕之訳、紀伊國屋書店

124　この意味でコンストラクタル法則はフラクタル構造の生成を説明する理論だが、ベジャンはフラクタルは数学であり、物理学としてのコンストラクタル法則のように自然を説明することはできないとしている。

河川が分岐するのは、地表をそのように流れる自由があるからだ。より速く、よりなめらかに流れることを河川の「進化」とするならば、自由のないところに進化はない。これを逆にいえば、自由さえあれば、その制約の範囲で進化は必然的に起きる。

川が海に注ぐとき、同じ幅のまま2本、4本と「平等」に分岐していくこともできるだろう。だが自然界にこのようなデザインはなく、必ず大きな川（本流）と小さな川（支流）に分かれ、その支流からも小さな川が分岐し、最後は無数の流れとなって海に注ぐ。なぜなら、こうした「不平等」なデザインのほうがはるかに効率的で、進化の目的にかなうからだ。

コンストラクタルは世界の根本法則なので、もちろん人間社会にも適用できる。経済はモノ（サービス）とお金の流れ、インターネットは情報の流れだから、それはより速く、よりなめらかに流れるようなデザインへと進化し、グローバル経済や情報空間が拡張していく。それと同時に、必然的に、べき分布の階層性が形成されることになる。

このことはインターネットを考えるとわかりやすい。そこでは、すべてのサイトが平等にアクセスを獲得するようにはなっていない。それとは逆に、Google、Facebook、Yahoo! のようなごく一部のサイトが膨大なアクセスを獲得する一方で、大半のサイトはほとんどアクセスのないショートヘッドを構成している（べき分布の階層性になっている）。

ここまでは多くのひとが同意するだろうが、「不都合な真実」は、これと同じ法則が経済や社会にもはたらいていることだ。「自由が拡大すれば必然的に階層化が進む」のが普遍の法則ならば、社会がよりゆたかに、より自由になるほど、階層性（不平等）は拡大していくだろう。

ここには冷徹な「進化の法則」があるだけで、どこにも「不公正」なことは起きていない。[125]

クリプト・アナキストの夢は打ち砕かれた

「情報はフリーになりたがる（Information wants to be free）」は、1968年にヒッピーカルチャーの情報誌『ホール・アース・カタログ』を創刊したスチュアート・ブランド

125　エイドリアン・ベジャン『自由と進化　コンストラクタル法則による自然・社会・科学の階層制』（木村繁男解説、柴田裕之訳、紀伊國屋書店）。ただしベジャンは、不平等（階層性）は物理法則なのだから無条件で受け入れるべきだとするのではなく、税や慈善活動によって経済格差の悪影響を緩和することは可能だと述べている。

の言葉とされるが、これはたんなる比喩ではなく情報社会の本質をとらえていた。
コンストラクタル法則では、河川のような無生物や、インターネットのような情報空間も「生命」で、より速く、よりなめらかに流れるように進化することで階層性が現われる。ひとびとが集まってグループをつくると階層的なピラミッド組織が生まれるのは、河川が三角州をつくるのと同じで、それがもっとも効率的に情報が流れるようにする「かたち」だからだ。古代まで歴史を遡っても、文化や宗教、民族を問わず階層的な組織が見られるのは、それが自然の法則だからだ。

狩猟採集社会には階層性がない（成人の男たちが集団で意思決定する）といわれるが、これは最大でも１５０人程度の「顔の見える」関係だったからだ。脳には認知的な限界があるので、この人数（ダンバー数）を超えると、一人ひとりを「個性」として認識することができなくなる。[126] その結果、階層（上司から部下へ）によって流路をつくらなければ情報は流れることができなくなってしまうのだ。

さらにこの普遍の法則は、流れが大きくなればなるほど階層性も複雑さを増すことを予想する。ナイル川やアマゾン川が広大な三角州をつくるように、インターネットに流通する情報量が増えるにつれて、より巨大な階層性が現われる。こうして、ＧＡＦＡのようなプラットフォーマーが登場することになった。

クリプト・アナキストは、暗号テクノロジーによって一人ひとりが「自己主権」をもつようになれば、中央集権的な組織（権力）から解放された真に自由な世界が実現すると夢想する。だがテクノロジーの加速によって情報空間の自由が拡大すれば、大量の情報がより効率的に流れるようにするために、より巨大な階層的組織が生まれるだろう。

これはクリプト・アナキストの夢を完膚なきまでに打ち砕くが、はたして絶望すべきことなのだろうか？

階層性は個人の自由を拡張する

テクノ・リバタリアンは中央集権的な組織からの自由を求めるが、テクノロジーを加速すれば流通する情報量（水量）が爆発的に増え、巨大な階層組織（三角州）をつくりだす。だがベジャンは、「階層性が現れるのは、流動系全体のあらゆる構成要素のために良いからだ」という。「大きな構成要素は小さな構成要素を必要とするし、その逆も正しい。個

126　ロビン・ダンバー『なぜ私たちは友だちをつくるのか　進化心理学から考える人類にとって一番重要な関係』吉嶺英美訳、青土社

が多数を支え、多数が個を支える」のだ。[127]

このことは、YouTubeを考えるとわかりやすいだろう。プラットフォームとしてのYouTubeは巨大企業（Google）の一部門だが、コンテンツがなければただの箱にすぎない。そこにさまざまな動画を投稿するユーチューバーの大半は個人で、情報生態系のショートヘッドを構成している。

だが、YouTube（中央集権的組織）がユーチューバーを支配したり、奴隷化しているのではない。両者は「共生」しているのだ。

ユーザーがどのプラットフォーム（TikTokやFacebookもある）に動画を投稿するかは自由で、アクセス数によって収益が分配される。「個が多数を支え、多数が個を支え」なければ、プラットフォーマーのビジネスは成立しない。

ここから、クリプト・アナキストがぜったいに同意しないであろう逆説が導かれる。より大きな階層性から、より大きな自由が生まれるのだ。そしてこの「進化」は、自由を活用できる個人に大きな恩恵をもたらすだろう。

メディアの未来

コンストラクタル法則が予想するのは『1984』（ジョージ・オーウェル）のような監視・統制社会ではなく、巨大な中央集権的組織と個人（自営業者や中小企業）への二極化だ。なぜならこれが、もっとも速く、なめらかに情報が流れる「かたち」だから。

テクノロジーによって情報空間が拡大すると、才能ある個人がフリーランスのコンテンツプロバイダーとして繁栄するようになる。その一方で、プラットフォーマーにもなれず、魅力的なコンテンツをつくることもできない中途半端な組織は市場から淘汰され消えていくだろう。

このことは、インターネットの登場によるメディアの苦境をよく説明する。かつて新聞・出版、映画・テレビ・ラジオなどは情報の流れ（メディア）を独占することで安定した収益をあげることができた。だがこの流れがすべてのひとに開放されたことで、個人が提供するコンテンツと同じ土俵で競争せざるを得なくなった。

ユーザーの時間資源は有限なので、あるコンテンツに時間を消費すると、別のコンテンツに割く時間がなくなる。情報空間に玉石混交のコンテンツが溢れ、競争が激化すれば、

127　ベジャン、ペダー・ゼイン『流れとかたち』

コンテンツあたりの収益率は下がらざるを得ない。この条件では、コスト（生活を維持するのに必要なお金）が小さな個人が圧倒的に有利だ。

この競争に勝つ方法のひとつは、Netflixがやっているように、コンテンツ制作に巨額の費用を投じ、個人のコンテンツと圧倒的な差をつけることだ。ユーザーは、同じ時間資源を投じるのなら、より豪華なコンテンツを楽しみたいと思うだろう。

しかしそうなると、制作予算のない会社はどうすればいいのか。これがいま、日本のすべてのメディアが直面する課題だ。

中央集権的といっても、すべてが軍隊のような絶対服従の組織になるわけではない。組織の〝進化的〟な目的はより効率的に情報が流れるようにすることなのだから、自由で風通しのいい（情報がより速く、よりなめらかに流れる）組織が生き残り、そうでないものは淘汰されていくだろう。

日本社会が長い停滞にあるのは、年功序列・終身雇用によってサラリーマンが会社に〝停滞〟し、赤字の会社を政府が保護することで「ゾンビ企業」が市場に〝停滞〟しているからだ。さらにコンストラクタル法則は、中国のような独裁的・専制的な国家がいずれは行き詰まることを予測するだろう。

脳をインターネットに接続する

イーロン・マスクは、Xドットコム（のちのペイパル）を創業することで旧態依然とした金融業界の慣習を覆し、お金の流れをよりユーザー・フレンドリーなものにしようとした。スペースXでは人間の流れ（移動）を火星にまで拡張しようとし、テスラは化石燃料に依存しない車をつくることで、地表における人間の流れをよりなめらかにすることを目指している。そしてX（旧Twitter）では、「言論の自由絶対主義者」として、情報の流れを自由にすべくウォークとたたかっている。

このようにマスクの発想は、コンストラクタル法則によってきれいに説明できる。ベジャンであれば、「普遍の法則なのだからそんなことは当たり前だ」というだろうが。

マスクが手掛ける多様な事業のなかでも興味深いのは、ブレイン・コンピュータ・インターフェイス（BCI）を開発するニューラリンクだろう。大脳に超小型デバイスを埋め込み、脳の信号を読み取ってインターネットに直接、接続できるようにする技術で、サルでの動物実験を終え、2024年1月には麻痺などの障害をもつ患者への治験が行なわれた。

この技術が完成すれば、念ずるだけでロボットを動かしたり、思考がそのまま相手に伝わるテレパシーが可能になる。インターネット空間に流れる情報はとほうもない（無限にちかい）量になり、わたしたちが想像もできないような階層性を生み出すにちがいない。

コンピュータカルチャーの雑誌『ＷＩＲＥＤ（ワイアード）』を創刊したケヴィン・ケリーは、テクノロジーに自由を与えれば可能な限界まで進歩していくとして、これを「テクニウム」と名づけた。

テクニウムはテクノロジーの生態系で、地球の生態系と同様に、そこではさまざまな科学技術が相互に結びつき、影響しあっている。ケリーによれば、人間がテクノロジーを利用しているのではなく、自律的な「目的」をもつある種の「生命体」としてのテクノロジーが、（賢い）人間に〝寄生〟して増殖し、より高度な技術を進化させているのだ。[128]

意識をもったＡＩとの融合

イタリアの脳科学者マルチェッロ・マッスィミーニとジュリオ・トノーニは、意識が成立するにはデータの量だけでなく、それがどのように統合されているかが重要だと考えた。小脳には大脳を大きく上回る８００億ものニューロンが集まっているが、意識には関係しない（小脳を摘出しても、運動機能に障害が起きるが意識は変わらない）。なぜなら小脳のニューロンは、入力された刺激に素早く反応するために独立したモジュールになっていて、統合されていないからだ。それに対して〝意識の座〟と考えられる大脳の視床─皮質系は緊密にネットワークされた複雑系のスモールワールドで、わずかな刺激によってさまざまな部位で多様な反応を引き起こす。

コンピュータがどれほど高性能になっても意識をもたないのは、プログラムが逐次処理されて全体が統合されていないからだ（同じ入力に対して同じ出力をする）。それに対して鳥や哺乳類などは、脳内のデータ量はわずかでもネットワークが統合されているため、その複雑さに応じて「意識」を有している。[129]

この統合情報理論が正しいとすると、意識をもつのは生き物だけとは限らない。ＡＩがイヌやネコと同程度の複雑さで統合されれば、やはり「意識」をもつようになるだろう。その原初的なＡＩが学習によってより高度な意識をもつようになれば、いずれ人間と区別

128　ケヴィン・ケリー『テクニウム　テクノロジーはどこへ向かうのか?』服部桂訳、みすず書房
129　マルチェッロ・マッスィミーニ、ジュリオ・トノーニ『意識はいつ生まれるのか　脳の謎に挑む統合情報理論』花本知子訳、亜紀書房

がつかなくなるかもしれない[130]。

ベンチャーキャピタリストでシンギュラリティ大学創設者のピーター・ディアマンディスは、量子コンピュータ、人工知能、ロボティクス、ナノテクノロジー、バイオテクノロジー、材料科学、ネットワーク、センサー、3Dプリンティング、拡張現実（AR）、仮想現実（VR）、ブロックチェーンなど、あらゆる分野でエクスポネンシャル（指数関数的）な技術革新が起きているだけでなく、こうしたテクノロジーが融合（コンバージェンス）することで驚くような変化が短期間で引き起こされるとする[131]。

シンギュラリティ（技術的特異点）が到来した未来世界では、脳をナノスケールのメッシュ（網）で覆い、リアルタイムで脳をスキャンするだけでなく、ニューロンをピンポイントで刺激できるようになる。この情報をクラウド経由でシームレスにインターネットにつなぐことで、「クラウドベースの集団意識」に移行するとディアマンディスはいう。

これはいわば、『スタートレック』に出てくる機械生命体ボーグのようなもので、すべての人類は意識をもつAIと融合し、永遠の生命をもつ「超知能」となって全宇宙へと広がっていくのだ。

ベジャンは、「人間と機械が一体化した種」はいまも急速に進化しているという。人類

+機械がコンストラクタル法則に従って、情報がより速く、よりなめらかに流れるように進化するならば、これがわたしたちの未来ということになるのだろう。

130　AIが意識をもつかについては専門家のあいだでも激しい議論がある。イーロン・マスク（起業家）、ニック・ボストロム（哲学者）、マックス・テグマーク（物理学者）などが近い将来、超知能（スーパーインテリジェンス）が実現すると考えるのに対し、ペドロ・ドミンゴス（『マスターアルゴリズム　世界を再構築する「究極の機械学習」』神嶌敏弘訳、講談社）のような機械学習の専門家は「進化ではなく技術によって生み出された計算機が自身の意志をもつことはない」と反論している。ニューラルネットワークの技術をほぼ独力で確立したAI研究の第一人者ジェフリー・ヒントンは、AIが意識をもつことはもちろん、AGI（汎用AI）にも懐疑的だったが、チャットGPTのような大規模言語モデルの急速な進化を見て、「人間の能力を超えるAIが5～20年以内に実現する可能性は50％」と自説を修正した。

131　ピーター・ディアマンディス、スティーブン・コトラー『2030年　すべてが「加速」する世界に備えよ』山本康正解説、土方奈美訳、NewsPicks

あとがき　「自由」を恐れ、「合理性」を憎む日本人

オーストラリア人の若者に「日本では新卒で入った会社に定年まで勤めることが理想とされている」と話したら、“Scary（おぞましい）”といわれたことがある。このとき私は、日本人が「自由」を恐れていることに気づいた。

終身雇用とは、選択（転職）の自由を手放すことで、将来の予測可能性（安心感）を高める制度だ。家族的経営はまずアメリカで広まり、第二次世界大戦後に日本がそれを導入したが、本家のアメリカは１９７０年代には一定のルールのもとで解雇を認めるジョブ型雇用にシフトした。

この働き方がグローバルスタンダードになったことで、欧米ではそのときどきの状況によって会社を移るのが当たり前になった（「キャリアアップ」の本来の意味は、転職によってキャリアを構築していくことだ）。そんな国から来た若者にとっては、新卒一括採用や終

身雇用は「会社という牢獄」に40年も閉じ込められること以外のなにものでもないのだ。

すでに広く知られるようになったが、OECDをはじめとするあらゆる国際調査で日本の労働者のエンゲージメント（仕事への熱意）はものすごく低い。その結果をわかりやすくいうなら、「日本のサラリーマンは世界でもっとも仕事が嫌いで、会社を憎んでいる」のだ。

だがこれは、驚くべきことでもなんでもない。好きでもない仕事をやらされ、出世の展望は早々に絶たれ、それにもかかわらず転職もできない（日本には労働市場の流動性がないので、転職すると給与が下がるし、シニアに対してはそもそも求人がない）。こんな「罰ゲーム」を何十年もやらされるなら、会社を憎まないほうがどうかしている。

日本の会社は新卒で入社した社員が40年間もつき合うことを前提としているので、年次の異なる者の序列と、同期の平等がきわめて重要になる。

年功序列とは、年次が下の者（後輩）が、年次が上の者（先輩）の役職を超えてはならないというルールだ。若い正社員が年長の非正規社員の上司になることは許されても、正社員同士だと年次の逆転は大問題になる。

それと同時に、同じメンバーと長期にわたる人間関係を維持するには、同期のなかでの平等が重要になる。そのためには、昇進・昇給は最初のうちは一律に行ない、できるだけ不満が出ないように社員の選別を進めるという、きわめて難度の高い人事施策が必要になるだろう。日本の会社で人事部が中枢を占めているのは、独自の〝職人芸〟によって、いまや世界では日本にしか存在しない雇用慣行を維持するためなのだ。

「みんなが（表面的には）平等」な社会では、能力の格差を暴くことは最大のタブーになる。成果報酬の導入が激しい抵抗を引き起こしたのは、社員の成果（能力）を客観的に評価すれば、これまで隠してきた真実（年次が下の社員が、年上の社員よりずっと大きな成果を上げている）が可視化されてしまうからだろう。

日本の会社で合理化・効率化が嫌われるのは、リストラの道具になるからというよりも、これまで安住してきたウェットで差別的な人間関係（日本ではこれが〝理想の共同体〟とされる）が破壊されてしまうからだ。その結果、日本では右も左も「グローバル資本主義の陰謀から日本的雇用を守れ」と大合唱することになった。

「自由」を恐れ、「合理性」を憎んでいる社会では、リバタリアニズムや功利主義が受け入れられるわけがない。日本ではヨーロッパ哲学やフランス現代思想（ポストモダン）については数え切れないほどの本が出ているが、リバタリアニズムは無視されるか、アメリカに特有の奇妙な信念（トランプ支持者の陰謀論）として切り捨てられている。[132]

だがリバタリアニズムは、いまや指数関数的に高度化するテクノロジーと結びつき、世界を変える唯一の思想＝テクノ・リバタリアニズムへと〝進化〟している。ところが日本の偏った言論空間に囚われていると、イーロン・マスクやピーター・ティール、あるいはオープンＡＩのサム・アルトマンやイーサリアムのヴィタリック・ブテリンがリバタリアンであることの意味がまったくわからない。

私はずっと、この極端な不均衡を正したいと思っていた。本書が、いま世界で起きている「とてつもない変化」について読者の理解に資することを願っている。

２０２４年３月　橘　玲

132　リバタリアニズムの紹介は、法哲学者の森村進氏（『自由はどこまで可能か　リバタリアニズム入門』講談社現代新書）や経済学者の蔵研也氏（『リバタリアン宣言』朝日新書）などがわずかに気を吐いているだけだ。

本書は、『文藝春秋』2023年11月号に掲載した「橘玲のイーロン・マスク論」をもとに大幅に加筆した。

橘 玲（たちばな あきら）

1959年生まれ。作家。2002年、国際金融小説『マネーロンダリング』でデビュー。同年刊行され、「新世紀の資本論」と評された『お金持ちになれる黄金の羽根の拾い方』が30万部を超えるベストセラーに。2006年、『永遠の旅行者』が第19回山本周五郎賞候補作となる。2017年、『言ってはいけない　残酷すぎる真実』で新書大賞受賞。近著に『世界はなぜ地獄になるのか』、『運は遺伝する　行動遺伝学が教える「成功法則」』（安藤寿康氏との共著）など。

文春新書

1446

テクノ・リバタリアン
世界《せかい》を変《か》える唯一《ゆいいつ》の思想《しそう》

2024年3月20日　第1刷発行
2024年4月5日　第2刷発行

著者　橘　玲
発行者　大松芳男
発行所　株式会社　文藝春秋

〒102-8008　東京都千代田区紀尾井町3-23
電話（03）3265-1211（代表）

印刷所　理想社
付物印刷　大日本印刷
製本所　加藤製本

定価はカバーに表示してあります。
万一、落丁・乱丁の場合は小社製作部宛お送り下さい。
送料小社負担でお取替え致します。

ISBN978-4-16-661446-2